ВИКТОРИЯ ТОКАРЕВА

Сборники произведений
Виктории Токаревой
в издательстве «Азбука-Аттикус»

О том, чего не было
Летающие качели
Ничего особенного
Извинюсь. Не расстреляют
Сказать — не сказать...
Римские каникулы
Антон, надень ботинки!
Можно и нельзя
Почем килограмм славы
Этот лучший из миров
Мужская верность
Птица счастья
Террор любовью
Дерево на крыше
Тихая музыка за стеной
Короткие гудки
Так плохо, как сегодня
Сволочей тоже жалко
Муля, кого ты привез?
Мои мужчины
Немножко иностранка
Кругом один обман

Виктория Токарева

Кругом один обман

Рассказы и очерки

Санкт-Петербург

УДК821.161.1-3Токарева
ББК84(2Рос-Рус)6-44-я43
Т51

Токарева В.
Т51 Кругом один обман : Рассказы и очерки. — СПб. : Азбука, Азбука-Аттикус, 2016. — 256 с.
ISBN 978-5-389-12281-9

«Особенность Венеции — карнавальная обстановка. Людей — потоки, толпы, и всем весело, все радуются. Невольно заражаешься праздничной энергией и улыбаешься во весь рот. А чему? Всему. Тому, что ты молод, жив, здоров, сыт. А если голоден, то скоро поешь. Если молод — не постареешь никогда. Если стар — никогда не умрешь. Жизнь вечна.

Всегда, всегда будет легко и весело, как сегодня. А иначе — зачем Венеция?

Но сколько можно ходить вот так — рот до ушей? Ну, месяц. А потом хочется новых впечатлений...»

В. Токарева

УДК 821.161.1-3Токарева
ББК 84(2Рос-Рус)6-44-я43

ISBN 978-5-389-12281-9

рассказы

невезучая фима

Однажды утром в моем доме раздался телефонный звонок, и приятный женский голос произнес:

— Можно попросить госпожу Токареву?

— Госпожа слушает.

— Здравствуйте.

— Здравствуйте. С кем я говорю?

— Вы меня не знаете. Я хотела бы с вами встретиться.

— Зачем?

— Ну, встретиться...

— А вы кто?

— Я? Массажистка Серафима Волкова.

— А где вы взяли мой телефон?

— Это не трудно. Вы же не Пугачева.

Ответ исчерпывающий.

— А что вы хотите? — спросила я.

— Ничего. Просто познакомиться, и все.

— Я массажей не делаю.

— Почему?

— Не люблю.

— Ну и не делайте. Никто не заставляет.

Если бы я захотела сделать курс массажа, я взяла бы человека по рекомендации, а не первого попавшегося, неизвестно кого.

— Я сейчас занята, — сказала я. — Позвоните летом.

Настало лето. Серафима позвонила и напомнила о себе.

— Позвоните зимой, — сказала я.

Она позвонила зимой. Я перенесла на весну. Она позвонила весной. Мне стало ясно, что легче встретиться, чем отвязаться.

Можно, конечно, сказать: перестаньте звонить. Но это грубо. У меня испортится настроение, и я целый день буду переживать и пережевывать эту ситуацию. Я встречалась с унижением и знаю, что это такое. Лучше этого не знать.

Я тяжело вздохнула и сказала:

— Ну, приходите...

В конце концов, я потеряю два-три часа. Ничего не случится, и от меня не убудет. Познакомлюсь с массажисткой Серафимой. Каждый человек чем-то интересен. Каждый человек — материал.

Серафима пришла. Явилась не запылилась.

Я смотрела, как она идет от калитки к моему дому. Высокая, стройная, с идеальной фигурой. Сиськи наружу. Тело играет и поет — буквально симфония.

Она подошла ближе — некрасивая, с идеальной кожей. Нос грушей, выражение лица нахальное. Ни единой морщинки, как на рекламе. Но возраст все равно проступает: сорок — сорок пять. Это, конечно же, молодость. Однако уходящая.

— Я Серафима. — Она протянула руку. — Можно Фима.

— А почему не Сима? — удивилась я.

— Сима — еврейское имя.

— А Фима, по-вашему, какое?

— Какое?

— Еврейское и мужское. Ефим. Половина евреев — Фимы.

— Ну не знаю. Я привыкла. Мне вообще-то все равно.

А мне тем более.

Я предложила Фиме кофе. Мы сидели на террасе и беседовали о том о сем. Практически ни о чем. О чем могут говорить незнакомые люди? Фима спрашивала, кто на ком женат в мире шоу-бизнеса. Я отвечала, при этом пыталась понять: зачем она приехала? Что ей от меня нужно? Узнать, кто муж у Лолиты Милявской?

Далее Фима предложила сделать мне массаж. Не дожидаясь моего согласия, разложила на столе баночки, скляночки, встала так, как ей удобно, посадила меня как положено и принялась за массаж. Ее пальцы летали по моему лицу, как у пианиста по клавишам. Прикосновения были легкие, профессиональные. Я поняла: она хорошая массажистка. И еще я поняла, что массаж — это аванс. Она что-то от меня хочет.

Фима не любила молчать. Она стала рассказывать мне историю своей любви. И тогда я догадалась: Фима мечтает иметь повесть о своей любви. Пусть будет книга — летопись ее жизни. Обидно, если ее история канет бесследно. А книга — это как бы скрижали на камне, как заповеди, данные Моисею.

Мне ничего не оставалось, как слушать.

Сюжет таков: Фима влюбилась в Мишу. Фиме было двадцать пять, Мише сорок.

Она влюбилась в него с первого взгляда, любовь стала подниматься в ней, как вскипевшее молоко. И Миша влюбился с первого взгляда. И это было заметно. Они стояли друг против друга с вытаращенными глазами, и любовь творила в них свою божественную химию.

Неприятно было то, что рядом с Фимой в этот момент стоял ее муж Веня. Кстати, Веня их и познакомил на свою голову.

Миша — небольшой начальник, и Фиме от него было что-то надо. Наверное, хорошее рабочее место. У Фимы такой характер, что ей постоянно что-то от кого-то надо, поскольку трудно пробиваться в жизни одной, без поддержки.

Муж Веня — никчемушник. Ему все неудобно. Он берет только то, что ему дает государство. А у государства можно только своровать. Само оно ничего не дает. И государству никогда не стыдно. Спрашивается, чего ждать? Надо идти рогом вперед и не стесняться.

Массажист полностью зависит от клиента. А клиенты разные. В профсоюзном санатории клиент — нищий пенсионер, а в салоне красоты — у клиента денег как у дурака махорки.

Фима пришла к Мише за теплым местом, и она его получила вместе с любовью.

Любовь образовалась настоящая, всепожирающая, страстная. Костер до неба. На этом огне сгорел бедный Веня, и ребенок, общий с Веней, остался без отца. Но это — деталь. Главное — ответное чувство.

После любви Фима засыпала на Мишином плече. Раньше она не представляла себе, что значит спать на мужском плече? Жестко, неудобно, из подмышки воняет конем, изо рта — запах от пищевода, что за радость? А с Мишей… плечо бархатное, от тела пахнет сухим сеном, дыхание легкое, как у ребенка, как утро в розовом саду. А все дело в чувстве. Любимые пахнут легко и благоуханно. А нелюбимые — воняют. Вот и весь секрет.

Рядом с Мишей Фима поняла: что такое отдаваться. Раньше было непонятно: как это — отдавать себя? А теперь понятно: на! бери! всю! Вместе с жизнью. Ничего не жалко. И не смотрела вперед. Никогда не разговаривали о том, что будет дальше. Фима выгнала мужа, пошла на жертву, и немалую. Раньше ее статус: замужняя женщина, а сейчас — любовница женатого человека. Никакого уважения в обществе, более того — презрение. Всем ведь не расскажешь про чувство, про то, какое счастье быть в объятьях любимого и какая нежность распускается потом и окутывает, как облако.

Об умном не разговаривали. А зачем? Ведь не на семинаре и не на курсах повышения квалификации. Когда любишь, можно не разговаривать словами. Все тело говорит, и взгляды, и молчание — все наполнено смыслом. Слова только мешают и замусоривают.

Миша был женат, имел сына Костю. Он звал его «котик». Миша обожал своего Котика, и было за что. Мальчик — нечеловечески красив, судя по фотографиям, нервный, непростой. Ненавидел учебу, и получалось: если Миша уйдет из семьи, Котик сломается и перестанет ходить в школу, сойдет с резьбы. Жена с ним не справится, поскольку не имеет авторитета. Из всего вышесказанного следует, что Миша не может уйти из семьи до тех пор, пока Котик не кончит школу и не поступит в институт.

— А потом? — спросила Фима.

— А потом я свободен. Я буду только твой.

— Ты и сейчас только мой, — говорила Фима и была права.

Миша часто оставался у нее ночевать. Жена, без авторитета, но с громким голосом, закатывала скандалы, даже истерики с битьем посуды. Пришлось три раза покупать новый обеденный сервиз.

Иногда она тихо плакала, это было душераздирающее зрелище. Истерика — все-таки спектакль. Действие. А тихие слезы — это горе и безнадежность. Котику было жалко маму. Он обнимал ее и говорил: «Мамочка, не плачь. Я вырасту и женюсь на тебе».

Котик вырос. Кончил школу. Поступил в институт. И заболел.

Врач объяснил Мише, что эпилепсия — заболевание не психическое, а неврологическое. У эпилептиков во время приступа происходит озарение. Они видят, как устроена Вселенная. Им открывается Божий замысел. Но когда приступ заканчивается, они ничего не помнят. Природа скрывает свою главную тайну.

— Если не помнят, какой смысл в эпилепсии? — спросил Миша.

— От армии освободят, — сказал врач.

— Только и всего?

— Нет, не только. Нельзя работать учителем, врачом и артистом.

А Котик как раз хотел быть артистом, у него находили способности. Готовый герой-любовник с реальной перспективой. Красота — редкость. Красивых — мало. Талантливых сколько угодно, а вот красивых и талантливых одновременно — днем с огнем не найдешь.

Миша вернулся домой, его лицо было черным. Хоть бери да вешайся. Жена сухо сказала:

— Вот результат твоей двойной грязной жизни. Скажи спасибо своей массажистке.

Миша внутренне согласился с упреком. Его накрыл комплекс вины. Да. Это он виноват. Котику нужен был отец, мужское влияние, контроль, а он, Миша, в это время намеревался уйти из семьи и воспитывать чужого сына.

Миша переменился. Фима его не узнавала. Как будто льдина, на которой они стояли, раскололась на две части и разъехалась. Расстояние росло. Не перескочить.

Фима пыталась сочувствовать.

— Как жаль, — говорила она. — Судьба жестока, бьет по самому дорогому, по детям.

— Перестань кликушествовать! — обрывал Миша. — Я же все-таки отец, поимей такт…

Тогда Фима меняла политику, пыталась успокоить.

— Все будет хорошо, — обещала она. — Дети трудно растут, но в конце концов все перемелется, мука будет.

— Хорошо тебе говорить, когда твой сын здоров, как бык. А если бы ты пришла в «палату № 6» и увидела своего сына среди сумасшедших и его бы лечили инсулиновыми шоками…

Фима пугалась, бог с тобой, что ты такое говоришь…

Миша, конечно же, был не виноват в болезни сына. Сколько мужчин живут двойной жизнью, практически девяносто процентов населения, но дети не заболевают. Здесь дело в чем-то другом, Котику мог достаться испорченный ген. Но Миша не хотел слушать. Он был зол на судьбу. Миша себя любил. Он был везунок, избалованный женским вниманием, его страстно любили: мать, жена, любовница, он купался в любви, и вдруг судьба дала ему пинок под зад — цинично и больно, и у прохожих на виду.

Миша стал мрачный и мстительный. Ему тоже хотелось дать пинок под зад всем подряд, включая Фиму.

Фима увидела нового Мишу и поняла: его не вернуть. У Фимы была своя врожденная гордость, она не хотела тратить время на человека, которому она не интересна. И Фима — тихо, бочком, бочком в сторону от Миши. Если бы она могла что-то изменить —

изменила бы, но она ничего не могла, только рыдать, осыпать упреками и проклинать свою участь — вот уж бессмысленное занятие.

Любовь ушла из Миши. Так бывает. Никто не виноват. А новый Миша ей неподвластен.

Настоящее — не интересно, будущее — отсутствует, его просто нет. Чего, спрашивается, ловить?

Жалко упущенное время? Да нет, не жалко. Было хорошо. Было неповторимо. Единственное, что плохо — осложнение от прошлой любви. Полная душевная немота. Все выгорело. Никто не нравится. А время бежит. Уже сорок пять. Последний вагон. Вокруг — никого достойного. Все норовят проехаться за ее счет, потрахаться на халяву. А где настоящие мужчины — надежные, умные и скромные? Где они?

Мне стало ясно, зачем приехала Фима. Она решила: если я творческая единица, вокруг меня должны быть интересные люди, в том числе скромные и надежные, и можно выловить крупную рыбу, писателя, например, или из шоу-бизнеса. Пусть даже не очень крупную, просто непьющего мужичка, который будет ее содержать, ласкать и заботиться.

О! Мечта одиноких женщин. Хочется завыть от тоски.

Мне стало жалко Фиму. Чем я могу помочь? Вокруг меня, конечно, существует какой-то круг, но все стоящие мужчины разобраны. Свободны только голубые, но они годятся исключительно для дружбы, для высоких бесед. Фиме высокие беседы ни к чему. Ей нужен полноценный секс и материальное обеспечение.

Я вспомнила, что через неделю будет отмечаться торжественная дата: столетие «Огонька». Состоится высокий съезд гостей. У меня есть приглашение на два лица. Можно взять Фиму, и пусть она там выловит себе из литературного и политического водоема какую-нибудь полуживую доверчивую рыбку.

Обычно на таких сборищах мужики шарят глазами во все стороны в поисках случайных связей и настоящей любви. Как повезет. А женщины стоят в боевом оперении и ждут с нетерпением. И тоже шарят глазами. Жизнь — это непрекращающийся шанс. Надо уметь использовать. Под лежачий камень вода не течет.

Лично я, как правило, скромно пребываю в углу и смотрю: в какой хлам превратилось мое поколение. Каждый думает про себя, что он никогда не постареет и не умрет. Но стареет, как миленький, поскольку природа — непрекращающаяся эволюция, а эволюции выгодно обновлять поколения.

Некоторые стареют красиво. Бондарчук, например. Был простоватый, щекастый. А стал — пророк: худой, длинные седые волосы, пронизывающий взгляд мудреца. Женщины, как правило, просто вянут. Уходит сверкание молодости.

Хорошо выглядят верующие. У них спокойные лица, лишенные суеты. Они знают главное, сокрытое от остальных.

Короче, я пригласила Фиму на большой праздник. У нее глаза прыгнули на лоб от радости. Значит, я точно разгадала ее планы и намерения.

В назначенное время мы прибыли к месту. Я сейчас не помню, где именно это происходило. Помню только огромный зал, где перемещались потоки людей. Мужчины все в черных костюмах и накрахмаленных рубашках под галстук. Женщины — кто во что горазд. Большинство в маленьких черных платьях, подчеркивающих фигуру и дорогую бижутерию.

Фима надела поверх платья меха из перьев. Абсолютная Кабирия из фильма Феллини. Выглядела она неприлично, но что поделаешь. Уже ничего не поделаешь.

Ко мне подошла моя ближайшая подруга Фаина, известная актриса. Тихо спросила:

— Что это за чудо с перьями?

— Это Фима, — ответила я.

— А ты не видишь, что она проститутка?

— Нет. Не вижу. Просто у человека другой вкус.

— Фима… Что это за имя? Ефимья?

— Серафима, — уточнила я. — А разве есть такое имя: Ефимья?

— Конечно. В святцах записано. Русское имя, ушедшее из употребления.

Фаина отошла стремительно, у нее были свои неотложные дела.

Фаина добывала себе работу, как голодный медведь после спячки добывает себе еду. Шла напролом и жрала все, что попадалось. Что же делать? Зависимая профессия. Актриса вынуждена предлагать себя, как проститутка на вокзале (если она не звезда, конечно). Казалось бы: плюнь на все и не работай. Но талант... Он давит. Гонит. Талант — это дополнительная энергия, которая требует выхода. Но ведь не будешь играть сам себе перед зеркалом в пустой комнате. Нужен зал. Зрители. Аплодисменты.

Я смотрела, как моя подруга подскочила к номенклатурному чиновнику, стала что-то энергично произносить. Ее челюсти гуляли вверх-вниз, как у собаки. Я видела ее в профиль. Издалека казалось, что она лает: гав-гав-гав. Номенклатурный мужик смотрел перепуганно, может быть, боялся, что она его укусит.

Ко мне приблизилась дочь президента Ельцина и сказала:

— Я ваша поклонница.

Примерно то же самое сказал Плеханов Горькому на каком-то съезде.

— А я ваша, — ответила я.

— Да-а-а-а? — удивилась Татьяна. Это длинное детское «а» сделало ее милой и человеческой. Все-таки принцесса, могла быть слегка надменной, разговаривать сверху вниз. Татьяна общалась на равных. Общение было коротким, точечным.

Я нашла Фаину и похвасталась:

— Ко мне подходила принцесса.

— Это потому, что президент уходит в отставку, — объяснила Фаина. — Семья теряет власть. Вот она и подошла. А так бы — фиг она к тебе подошла.

Я не поняла прямой связи между этими двумя фактами. Моей поклонницей можно быть независимо от положения отца. Фаина не выносит моего успеха и тут же старается его обесценить. Я тоже не остаюсь в долгу, так что мы стоим друг друга.

Фаина повернула голову. Кого-то приметила. Метнулась в сторону, прорезая толпу. Я вспомнила чеховскую фразу из рассказа «Ионыч»: «Сколько хлопот, однако».

Фима тем временем прочесывала мужские ряды. Она не стояла возле меня неотлучно, и тем самым не грузила и не напрягала. Я чувствовала себя легко и свободно, что очень важно на таких мероприятиях.

Ко мне подошло знакомое лицо. Политик. Я часто видела его по телевизору. Довольно молодой, яркий, с примесью татарской крови.

невезучая фима

Я люблю внешность с примесью, с любой.

— Я поклонник вашего таланта, — сказал Политик.

— Докажите, — отозвалась я.

— Как? — Он удивился.

— Дайте мне президентскую пенсию.

— Надбавку, — поправил он.

— Можно надбавку, — согласилась я.

— Мы даем, когда человеку сто лет, а вам сорок, самое большое.

— Мне как раз сто, просто я хорошо выгляжу.

Политик посмотрел на меня пристально.

Мне в этом году исполнилось пятьдесят пять — пенсионный возраст. В пушкинские времена пятьдесят пять лет — глубокая старость. Матери Татьяны Лариной было тридцать семь лет, и у нее были две дочери невесты. А сейчас в тридцать семь лет — сами невесты. А пятьдесят пять лет — расцвет, когда форма совпадает с содержанием. Раньше отставало содержание, позже начнутся проблемы с формой. А в пятьдесят пять лет — все слито воедино. Я стояла перед Политиком в коралловом пиджачке — зрелая, как созревший фрукт, но не перезрелая, веселая и умная. Замечательное сочетание.

— Я попробую, — пообещал Политик. — Я вам позвоню.

— Я дам телефон... — Я торопливо достала из сумки ручку, записала на приглашении.

Политик взял приглашение с моим телефоном.

К нам приблизилась Фаина.

— Не приставай к человеку, — приказала она. — Не задерживай.

— А твое какое дело?

— Меня попросили.

— Кто?

— Ну, попросили...

Очень может быть. В зале было много властей предержащих, на них бесцеремонно накидывались приглашенные гости и решали свои деловые проблемы. Специально обученные люди следили за поведением гостей и пытались обезвредить наиболее навязчивых. Ко мне они подослали подругу. Это более деликатный ход, чем подойти самим и сделать замечание. Я ведь могу и обидеться.

Однако инцидент исчерпан. Политик положил мое приглашение в карман и отошел.

— Что ты от него хотела? — спросила Фаина.

— Президентскую пенсию. Он сказал, что позвонит.

— Это форма отказа. Они всем так говорят, но никогда не звонят.

Фаина лучше знает. Ей, наверное, много раз обещали, а мне впервые.

Появился президент. За ним шли его мюриды. Человек шесть. Остановились возле небольшого стола.

Я внимательно смотрела на мюридов. Что за люди? Крайний справа был откровенно некрасив, как будто сделан из собаки, но при этом с его лица явно считывался ум, юмор, опять ум. Да. Дураков там нет, как бы нам этого ни хотелось.

Ельцин стоял как изваяние. Долгая партийная работа сделала его похожим на статую. К нему подошла дочь, что-то шепнула в ухо. Ельцин перевел взгляд в мою сторону и протянул мне руку. На руке не было половины пальцев.

— Виктория Токарева... — четко произнес он медным голосом. — Читал.

Я подержала его руку в своей. Хотела сказать: будет врать, но сдержалась. Конечно же, он не читал. Имеет право при своей занятости. Он небось и Тютчева не читал, и Лескова, а соврал из вежливости. Хотел сделать приятное. Мы, писатели, жаждем признания, тем более президентского.

Ельцин остановился ненадолго. Он вышел к народу из вежливости, для приличия и ждал случая, когда можно уединиться с мюридами в отдельной комнате и врезать по полной (в смысле, выпить).

Ельцин умел и любил врезать, но хуже от этого не становился. Что-то было в нем монументальное и необходимое для нас всех в тот смутный период.

Ельцин постоял для протокола и удалился.

Я тоже решила удалиться.

Отправилась искать Фиму. Над ней навис Виталька Кравченко, редактор «Огонька», — законченный бабник, скользкий как обмылок. Практически та же самая пьянь и рвань, которая окружала Фиму, только те работали руками, а Виталька головой. Все остальное — одно и то же.

Я подошла и бесцеремонно приказала:

— Фима, за мной!

Виталька вскинулся. Он еще не окончательно договорился. Хотел что-то возразить, но напоролся на мой взгляд.

Я отвела Фиму в сторону и сказала:

— Я ухожу, ты как хочешь.

У Фимы были еще какие-то планы, неведомые мне. Она решила остаться. А я ушла вместе с Фаиной.

Мы сели в ее машину. Нам было в одну сторону.

Хотелось помолчать. И мы молчали.

Мы с Фаиной дружили давно, лет двадцать. Отношения у нас были неоднозначные. Я многое в ней не принимала. Например, я не любила с ней сидеть за одним столом. Мне не нравилось, как она ест: кидает еду в рот деловито и грубо, как дрова в печку. Многие умеют есть красиво и даже сексуально, но это не Фаина. Кстати, я ем страстно, как голодный беспризорник, которого не кормили неделю. Тоже ничего хорошего.

Я не могла смотреть, как Фаина танцует. Я смотрела в пол. Мне было неприятно поднять на нее глаза. Я умоляла: не танцуй... Она удивленно вопрошала: ну почему?

Я бы не смогла объяснить почему. Видимо, язык ее тела казался мне грубым и неприличным.

Мне не нравилось, как она звучит. Голос — бормочущий, будто со сна. Фразы — примитивные, как у дикаря. При этом она обожала появляться в телевизионных передачах и толкать свои речи. Она именно толкала, помогая ладонью. Всякий раз это было долго и неинтересно.

Я говорила ей: скучно... Она отвечала: ничего не скучно...

Я не любила в ней отсутствие достоинства. Если ей что-то надо — преград не существует, особенно нравственных. Такие понятия, как стыд, совесть, — это что-то неконкретное, то, что нельзя пощупать и положить в карман. А деньги можно пощупать, и положить в кошелек, и обменять на нужную вещь.

Спрашивается, что же нас связывает? То, что я ее люблю.

Как можно любить человека с такими противопоказаниями?

Можно. Объяснения этому нет. На уровне тонких материй. Мы связаны, как кровные родственники, и если бы она сломала ногу и мне надо было бы тащить ее на спине в ночи — тащила бы сколько понадобится.

И она любила меня. Я это чувствовала. При этом ревновала к моему успеху, и, если меня при ней хвалили, ее лицо кривело.

Я за своим успехом не слежу. Я даже не знаю: есть ли он? Это ничего не меняет. У меня существует зависимость, как у алкоголика. Возможно, творчество и есть своего рода алкоголизм. Алкоголик будет пить, независимо от того, нравится это кому-то или нет. Творчество — это болезнь, но болезнь счастливая, светлая, не дай бог выздороветь.

Фима стала ко мне звонить и приезжать. Я привыкла к ней и была даже рада. Фима заботилась обо мне и каждый раз являлась с дарами, как к попу. Привозила мешок картошки, например, нанимала машину. Я, естественно, расплачивалась. Фима от денег не отказывалась. Похоже, у нее каждая копейка была на учете.

Она бурно рассказывала мне про свою жизнь. Я слушала невнимательно. Мне было ясно главное: Фима — женщина от макушки до пят. Ей хочется дарить любовь, а некому. На столетии «Огонька» она ничего себе не обрела и ждала от меня нового вливания.

Я искренне хотела ей помочь. Но как? Ситуация, как в западных магазинах: все есть, а того, что тебе надо — нет.

Так и женская судьба. Мужчин полно. А того, кто тебе нужен, нет! Где он?

Однажды в моем доме прозвенел звонок. Хрипловатый мужской голос сообщил, что его зовут Борис Белый, он звонит из Парижа, является работником консульства.

— А что вы хотите? — не поняла я.

— Я хочу привезти вам орхидеи.

— В честь чего?

— В честь вашего дня рождения.

Я не поняла: он — в Париже, я — в Москве. Он что, попрется из Франции специально для того, чтобы вручить мне орхидеи?

— А сколько вам лет? — поинтересовалась я.

— Шестьдесят.

«Не юноша», — подумала я. Поздновато для романтических рывков.

— Спасибо. Но давайте пропустим этот день рождения. Как-нибудь в другой раз…

Но не тут-то было. Борис Белый все-таки решил со мной познакомиться, и мое разрешение или запрещение не имело никакого значения.

Он так решил. И приехал. И мне ничего не оставалось, как впустить его в дом.

Вошел. В моем доме запахло гуталином от начищенных сапог. Фигурально. А буквально — сапог не было, ботинки. И гуталином, естественно, не пахло. Но сразу стало ясно, что этот Белый — военный. Работает за границей мелким шпионом. Крупные в гости не навязываются. Крупные шпионы —

как звезды. Это особый талант, редкий и драгоценный, как всякий талант.

Лицо у Белого — абсолютно анкетное, простоватое, славянского типа, безо всякой примеси, как еда без соли и без перца. Короче, лицо — никакое. И сам он — никакой.

Я стала вежливо ждать, когда он уйдет. Придвинулось обеденное время, я предложила ему поесть.

Он попробовал суп и сказал:

— Сюда нужно натереть сыр пармезан, чеснок и добавить копченую грудинку.

— Вы любите готовить? — догадалась я.

— Я повар.

Понятно. Значит, шпионские обязанности он совмещал с основной работой.

Белый поднялся из-за стола, подошел к плите и стал вносить те дополнения, которые он перечислил. Грудинки в доме не оказалось, и сыр — другого сорта. Но тем не менее суп заиграл новыми вкусовыми оттенками. Совсем другое дело.

Я аккуратно задала интересующие меня вопросы: кто у него в Москве? Каково семейное положение? Когда кончается командировка во Францию? Где он собирается впоследствии жить? Есть ли недвижимость, средства к существованию?

У меня было легкое подозрение, что у Белого ничего нет и он знакомится небескорыстно.

Белый довел до моего сведения: в Париже у него жена, вторая по счету, но она его выгнала. Бориса это печалит, но особенная боль — дочка Катя. Дочка от первого брака жены, то есть по крови она ему никто, но Борис к ней очень привязался, он воспитывал ее десять лет, с двух до двенадцати.

«Хороший человек», — оценила я. Своих детей у него двое. Они остались с первой женой, которую он бросил, устремившись на зов любви. А теперь получается, он одинок на склоне лет.

Командировка кончается через год. Он вернется в Москву. На носу пенсия. Никаких накоплений. Но он — прекрасный повар, может работать в дорогих ресторанах. Квартиру ему оставила тетка, сестра матери, бывшая летчица и парашютистка. Квартира однокомнатная, убитая, в плохом районе. Но не важно. Главное — крыша над головой.

Мне стало ясно: меня он рассматривает как вариант убежища и пристанища. Я, конечно, не молоденькая. Можно сказать, лежалый товар, но знаменитая, приятно появляться на публике и есть о чем поговорить между собой. Интересный собеседник.

Чтобы внести ясность, я показала Белому свой семейный альбом, который отражал мою жизнь: муж, дети, внуки. Полная коробочка. Вакантных мест нет.

Белый принял к сведению. Покачал головой. Потом достал из портфеля толстую рукопись. Это были юмористические рассказы, которые Белый сочинил в Париже. Он привез их мне на рецензию.

Теперь я поняла, зачем он ко мне устремлялся. Он хотел, чтобы я прочитала его труд, завещанный от Бога, и помогла напечатать, выпустить книгу. Употребила свои связи.

Я пробежала глазами первую страницу. Есть такое слово: шуткует. Не шутит, а шуткует. От подобного юмора меня буквально тошнит. Мне делается плохо. Юмор — это прежде всего ум, а без этого ингредиента суп не получится. Дурак не способен пошутить интересно. А Белый, скорее всего, принадлежит к этому подвиду.

Когда Белый ушел, я отнесла его рукопись в гараж. В доме я плохие рукописи не держу. Мне кажется, они как микробы отравляют все вокруг.

После его ухода я обнаружила на столе очки, которые он забыл. Я позвонила ему вдогонку.

— Вы забыли очки, — сказала я.

— Оставьте их себе, — великодушно разрешил Белый.

Очки оказались мне впору. Более того, они были легкие, удобные, видимость отчетливая, как будто я заново родилась. Мое сердце обдало благодарностью. Очки — это главная составляющая моей жизни. Я в них пишу и читаю. А чтение — пассивное творчество. Я беру в собеседники Антона Павловича, например, или Серегу Довлатова. Вернее, это они берут меня в свои собеседники. А что может быть роскошнее, чем общение с талантом? Только любовь, да и то вопрос.

У меня никогда не было хороших очков. То диоптрий не хватает, то оправа не держит, то давит за ушами, и от этого болит голова. А тут — и диоптрии, и оправа, и мир предстает очищенным от пятен. Лист — белый, буквы — черные, мысль не тормозится, ни за что не цепляется. Спасибо тебе, Борис.

А орхидею он мне, кстати, привез. В коробочке. Очень изысканно, но временно. Орхидея завянет через неделю, а очки останутся на года.

Борис Белый появился в моем доме через полгода с букетом желтых хризантем и с фотографией новой невесты. С фотографии глядела вполне очаровательная барышня лет сорока. Это была русская певица, приглашенная французским продюсером на гастроли. Моя домработница смотрела на меня насмешливо. Дескать, я получила отставку. Где певица и где я?

Мне было все понятно. Белый осознал, что со мной каши не сваришь, а ему некогда. Через полгода надо возвращаться в Москву. Не поедет же он один. Что ему делать в пустой убитой квартире на краю Москвы? К тому же певица действительно — яблоня в цвету, и очень милая.

— Замечательная девушка, — похвалила я. — Если хотите, приходите вместе с ней в гости. Пожарим шашлыки во дворе.

Я хотела поддержать Бориса, повысить его цену в глазах певицы.

Но… певица сорвалась. Она отвергла Бориса. И можно понять. Зачем он ей — старый, бедный и без Франции? У нее разворачивалась карьера, весь мир под ногой.

Борис звонил мне из Парижа в глубокой депрессии. Я его утешала:

— Найдем другую, не хуже.

— А как мои рассказы? — поинтересовался Борис сквозь депрессию.

— Рассказы замечательные. Вы — настоящий талант.

Борис молчал. Он хотел счастья в личной жизни. А успехи в работе — это так… говна пирога, как говорила его падчерица Катя.

Звезды на небе сошлись.

Я поняла: Фиму надо познакомить с Борисом. Свести. С одной стороны, сводничество — это порок, а с другой стороны — что плохого, если двое людей обретут свое счастье? В мире станет на одну любовь больше. И мир станет добрее. А мне вполне достаточно мешка картошки и очков. И удачно разложенного пасьянса.

Я сговорилась с Борисом, и Фима рванула в Париж за свой счет. Есть поговорка: для бешеной собаки сто верст не крюк. Для Фимы не существовало расстояний, когда речь шла о любви.

Прошло несколько дней. Борис позвонил мне поздно, почти ночью и обиженно спросил:

— Кого вы мне прислали?

— А что? — не поняла я.

— За кого вы меня принимаете?

— Вам Фима не понравилась? — догадалась я. — Почему?

— Дама полусвета. Не высшее общество, — дипломатично ответил Борис.

— А где вы видели в России высшее общество? Его выкорчевали сто лет назад.

— Но не до такой же степени...

Чем-то Фима напугала бедного Бориса.

— Ну ладно, — примирительно сказала я. — Ничего с вами не случится.

«Тоже мне граф Вронский», — подумала я.

Фима объявилась через неделю — веселая, с коробочкой французского мягкого сыра.

— Очень сильный мужчина, — похвалила она Бориса. — И техника хорошая. Мне понравилось. Только он никуда со мной не ходил, никому меня не показывал. Стеснялся.

— А Париж ты посмотрела?

— Что Париж... Какая разница где жить: на Елисейских Полях или в Люберцах? Главное, с кем...

Фима не унывала, и меня это радовало. У нее был позитивный взгляд на вещи: получилось — хорошо, не получилось — тоже хорошо. Переступила и пошла дальше.

Ночью мне приснились битые яйца. Это к деньгам. Откуда? Никаких денег не предвиделось.

Я села пить кофе, и тут раздался звонок. Звонил Политик. Невероятно, но факт. Он поздоровался и сказал, что все в порядке. Бумаги подписаны. Дополнительная пенсия — моя. Она называется вспомоществование.

Какое тяжелое, неповоротливое слово, как паровоз, сошедший с рельс. Это слово хорошо включать в актерское мастерство для разработки дикции: вспо-мо-щест-во-вани-е... А всего-навсего: прибавка к пенсии.

— Надо позвонить в приемную, там все объяснят, — добавил Политик и продиктовал телефон приемной.

Голос у него был усталый, деловой. Похоже, он звонил из машины, делал необходимые звонки. Моя задача была не визжать от радости и не хрюкать от благодарности. Не задерживать человека. Все это я просекла по его голосу.

— Спасибо, — коротко поблагодарила я.

— Всего хорошего, — попрощался Политик и нажал кнопку.

Я слушала короткие гудки, как музыку. Сон оказался вещий.

Я не столько радовалась деньгам, сколько благородству человека. Пообещал — сделал. Так приятно очаровываться людьми. Хочется побежать от радости на короткую дистанцию или сесть и написать гениальное произведение. Хочется жить и творить добро.

Я не выдержала и позвонила Фаине.

— А мне Политик позвонил! — торжествующе сообщила я.

— Зачем? — насторожилась Фаина.

— Он устроил мне президентскую пенсию.

Я специально не произнесла это тяжелое, унизительное слово: вспомоществование, как подачка на паперти. Президентская пенсия — совсем другое дело. Это как вычищенный до блеска офицерский конь, который гарцует на параде.

— Как? — онемела Фаина.

— Ну вот тогда, на столетии «Огонька», помнишь?

Раздался грохот. Я догадалась: Фаина грохнулась и умерла от зависти.

Днем я встретила Фаину в супермаркете. Она, оказывается, не умерла, выжила, но сильно похудела. Под глазами пролегла чернота.

— А пенсии эти отменили, — сообщила мне Фаина.

— Откуда ты знаешь? — испугалась я.

— Мне Ростоцкий сказал.

Я прибежала домой и позвонила в приемную. Трубку сняла девушка-секретарша. Я представилась и задала трепещущий вопрос.

Девушка ответила, что пенсии не отменили, что за глупости? Закон не имеет обратной силы. Каждое восьмое число я могу приходить на почту и получать причитающиеся деньги.

— А сколько это? — поинтересовалась я.

— Десять минимальных зарплат.

— А сколько составляет минимальная зарплата?

Девушка назвала смехотворную сумму. И десять зарплат — тоже смехотворная сумма.

— А кому еще дали? — спросила я.

Девушка зачитала список. В нем были только деятели кино — звезды советского периода, выдающиеся актеры и режиссеры, которые составляли гордость великого кинематографа 70-х. А как же я туда попала? Видимо, Политик взял список и приписал туда мое имя. И положил президенту на подпись. Президент уходил в отставку, он в эти списки даже не посмотрел, ему было все равно. Президент поставил свою подпись. И я оказалась в лодке, которая отплывала от тонущего «Титаника».

Тонущий «Титаник» — это была наша страна, наша кинематография и наши пенсионеры.

Десять минимальных зарплат — жалкая подачка. Неужели стране не стыдно перед звездами, которые положили свою жизнь на алтарь профессии?

Я позвонила актеру Икс, он был в этом списке. Представилась. Икс напрягся. Решил, что я хочу предложить ему роль в своем сценарии. Но я озвучила свое возмущение.

— Вам не кажется, что предложенная добавка к пенсии — жалкая подачка? Может быть, стоит отказаться?

Икс помолчал, потом сказал:

— Дареному коню в зубы не смотрят. Вам дали — скажите спасибо, а вы еще недовольны. Странные вы люди...

Интересно, что он имел в виду под «вы»? Кто это — «вы»? Я, а еще кто?

— Нудный вы человек, — поделилась я.

— Это вы нудный человек, — поправил Икс.

Честно сказать, мне этот Икс никогда не нравился как актер. Просто фактурный типаж, натасканный на актерство, как собака на наркотик. Сверху ему ничего не спущено.

Я положила трубку и вспомнила поговорку: старуха на город сердилась, а город и не знал. Это мой случай. Предположим, я откажусь. Никто не обратит внимания. Пусть все остается как есть. И Фаина будет грызть локти, не последнее дело.

А Ростоцкий, кстати, ничего ей не говорил, она все придумала, чтобы как-то пережить несчастье.

Мы соперничали. Это часто бывает в женской дружбе. Практически всегда.

В жизни Бориса Белого тем временем произошли большие перемены. Он женился и пожелал приехать ко мне с новой женой.

Разрешение было получено.

В один прекрасный день парочка явилась не запылилась. Девушку звали Оля. Тридцать лет. Обаятельная, глаз не оторвать.

Борис привез маленькие милые подарки, среди них банку маринованных белых грибов. Такие продают в дорогих супермаркетах, но Борис сказал, что он сам собрал и замариновал.

Мне было понятно, что он врет, но ложь симпатичная, безвредная. Просто хвастается человек. Ничего страшного, хотя странно для шестидесятилетнего.

Перед обедом мы решили погулять. Я помню эту прогулку вдоль реки. Май месяц. Солнце светило по-летнему. На берегу реки стояла плакучая ива, но росла она не вертикально, а параллельно земле. Свисала кроной над водой. На ствол можно было садиться, как на скамейку.

Мы задержались возле дерева. Борис насобирал щепочки и разжег маленький костер.

Достал из пакета качественные сардельки, нанизал их на деревянный шампур и повесил над огнем. Он сидел на корточках, — стройный, подтянутый. На макушке торчал подростковый вихор. На нем была льняная клетчатая рубаха, вельветовые джинсы. Никакого запаха гуталина — современный, модный, не старый парень. Разница в возрасте не лезла в глаза. Хорошая пара.

Мы с Олей сидели на дереве. Она рассказывала историю их знакомства.

Оля жила в белорусском захолустье. Маленький поселок. Работала на птицефабрике. Женихов — нуль: четыре малолетних тракториста, женатый агроном, пьющий ветеринар, и се ту, как говорят французы. Это всё.

Борис Белый позвонил директору птицефабрики Панкову — они были знакомы в прошлой жизни, говорили о своих делах, и Борис спросил между прочим:

— У тебя там нет для меня невесты?

Панков пошуровал в памяти и хлопнул себя по лбу:

— Есть!

— Давай ее в Париж, — приказал Борис. — Немедленно!

Панков вызвал Олю и объявил:

— Поедешь в командировку. На повышение квалификации.

Оля удивилась. Ее квалификация не требовала повышения. Она осеменяла кур петушиной спермой. На всех кур — один петух. Буквально как в поселке.

— В Брянск? — уточнила Оля.

— В Париж.

— Не могу. У меня корова рожает. Собака подыхает. Шарик.

— Без тебя родит, и без тебя подохнет. Похоронят твоего Шарика. Наверху не оставят.

Оля колебалась, но Панков буквально вытолкал Олю в Париж. Сам оформил все необходимые документы.

Нельзя сказать, что Оля влюбилась с первого или второго взгляда. Но Борис Белый — единственный шанс как-то изменить свою жизнь, раздвинуть рамки замкнутого пространства. Что ждало ее в поселке? Корова родит теленочка, Шарик сдохнет, будет новая собака, куры получат сперму и будут нести яйца. Куры — и те с яйцами, корова — и та с теленочком, а она, Оля, — одна, как огурец-пустоцвет. А тут все-таки Париж. И целый мужик с отношением. Борис ее буквально боготворил. Решили, что по возвращении в Москву обязательно обвенчаются.

Мы стали есть жареные сардельки. Они зарумянились, налились соком, пахли дымком. Надкусишь — и брызжет. А сверху голубое небо. Плакучая ива отражается в воде. И Оля — такая милая, а Борис — такой счастливый. Его счастье было тихое, глубокое, каким бывает настоящее счастье.

— Знаете, я совершенно не чувствую разницы в возрасте, — клялась Оля. — Борис молодой. Правда.

Я вспомнила характеристики Фимы и поверила. Да и что такое возраст? Это болезни. А если ничего не болит, то какая разница, сколько лет человеку? Я, например, слушаю по телевизору лекции Юрия Лотмана и наслаждаюсь его умом, его личностью, очарованием. Какая мне разница, сколько ему лет — тридцать или сто? Главное — душевное соответствие. Я бы никогда не поменяла Лотмана на Леонардо Ди Каприо.

И Олю тоже связывало с Борисом душевное соответствие. Он любил ее молодость, ее цветение, ходил как с букетом роз и вдыхал.

А Оля купалась в его любви, познавала Париж, знакомилась с новыми людьми — русскими и французами. Это тебе не птицефабрика, где запах несвежего куриного помета въелся в мозги. Куры едят, испражняются, несут яйца и умирают. Вернее, их убивают. Существует убойный цех с жестокостью и цинизмом, которые сопровождают каждую смерть. Жестокость и цинизм. Все это наводит на размышления о бессмысленности существования. Зачем все, когда в конце отрывают голову и бросают в таз?

А тут Париж. Русская аристократия и их потомки. Бутики ведущих модельеров. Приемы, которые дает русское посольство.

Жизнь в консульстве отдаленно напоминает жизнь пауков в банке, но сколь тяжелые недостатки, столь весомые достоинства. Нужно уметь отделять зерна от плевел. А Оля умела.

Оля смотрела мне в глаза и говорила:

— Боря доверчивый, открытый. Он любит людей, он добрый. Знаете, почему его бросила вторая жена? Он тратил на подарки все деньги. Поедет в Москву, и все сбережения на ветер. Там, в Париже, они сидят, копят годами, во всем себе отказывают, а Боря тратит в один миг. Раз — и нет. Это характер такой.

— Любит производить впечатление, — предположила я.

— Нет. Любит дарить. Давать. Он добрый. И непрактичный. Но ведь это лучше, чем все себе, все в кучку, как белка в норку.

На пальце Оли поблескивало кольцо с изумрудом.

— Красивое кольцо, — отметила я.

— Это Боря подарил. От тетки осталось. Прошлый век. Старинная работа.

Мимо нас пронеслись велосипедисты. День был наполнен движением, солнцем, молодостью, любовью, вкуснейшими сардельками. Что еще желать?

Фима оказалась на пороге большого счастья. У нее образовался жених. Алекс.

Она приехала мне его показать, узнать мое мнение. Все-таки я писатель, инженер человеческих душ. Значит, я смогу заглянуть в душу Алекса.

Алекс — среднестатистический мужик лет пятидесяти. На вид — технарь, вроде инженера среднего звена. Оказывается, они с Фимой были знакомы с юности. Алекс был даже влюблен в Фиму, но потом жизнь развела.

Алекс женился на некой Соне, жил с ней душа в душу, а теперь Соня умирала. Лежала в больнице. У нее были какие-то показатели, несовместимые с жизнью. Какие-то высокие цифры, которые не удавалось понизить. Врачи ждали конца. Алекс был предупрежден. Он посещал Соню в больнице, но она находилась в сумеречном сознании. Алекс сильно огорчался, но понимал: надо трезво смотреть на вещи, искать новую подругу, искать и находить теплое место.

Он достал старые записные книжки, позвонил Фиме. Фима, как это ни странно, жила по старому адресу. Ее телефон не поменялся. И сама Фима тоже мало изменилась.

Алекс хотел перевезти Фиму к себе в квартиру, но было неудобно перед соседями. Решили подождать. Недолго осталось.

Алекс и Фима приехали ко мне с банкой меда. Стали делать витаминный напиток. Его состав: мед, лимонный сок и чеснок.

Лимоны и чеснок нашлись в моем доме. Фима перекрутила их в блендере, потом смешала с литровой банкой меда. Получилась гадость несусветная. Ошибка — в количестве чеснока. Надо было положить пару зубчиков, а Фима ухнула пять головок. Мне стало жалко мед — натуральный, душистый. А теперь куда эту адскую смесь? В десерт — не пускает чеснок. В мясо? При чем тут мед? Абсолютно бесполезная бурда.

Фима не огорчилась. У нее было чудесное настроение. Они с Алексом были наполнены радостным интересом друг к другу. Фима преобразилась. Из активной и вульгарной Кабирии она превратилась в мягкую, гармоничную, практически интеллигентную женщину.

Я смотрела и понимала: все-таки женщина без мужчины, как без ноги, передвигаться можно на костылях, но неудобно, неэффективно и уродливо. А сейчас Фима пребывала на двух ногах, и обе ноги были красивые, сильные, с большим сроком годности.

Мы уселись за стол. Пили, закусывали и беседовали. Я поймала себя на том, что под Алекса не надо подстраиваться. Мы общались на равных.

В какой-то момент Фима достала листки со стихами. Протянула мне.

— Чьи это? — не поняла я.

— Мои.

Ага! Вот он, момент истины. Вот зачем Фима добивалась знакомства со мной. Она хотела получить консультацию и протекцию.

От писателя все именно этого и хотят. Побочное действие популярности. Я каждый раз надеюсь, что люди жаждут прикоснуться к моей бессмертной, неповторимой душе. А вот фига два. Все хотят отщипнуть что-то для себя лично. А с другой стороны: почему бы и нет? Когда я делала первые шаги в литературе, я тоже бегала с листками и консультировалась. Мне помогали. Значит, и я должна помочь.

Я опустила глаза в стихи Фимы.

Невольно вспомнила рассказ Всеволода Иванова «Сорок первый». Там героиня Марютка писала стихи. Я запомнила такую строчку: «Двадцатеро в степь ушло». Это значит: двадцать человек ушло в степь. Марютка была безграмотна и бездарна в поэзии.

От стихов Фимы на меня пахнуло тем же самым — бездарностью и безграмотностью. Я молчала.

— Ну, как вам мои стихи? — не выдержала Фима.

— Это не стихи, — сказала я.

— А что?

— Ничего. Пустое место.

— А Дементьев похвалил.

— Наврал. Не хотел тебя обижать.

— А вы не могли бы позвонить композитору Игорю Крутому?

— Зачем?

— Пусть он напишет музыку на мои стихи. Я буду поэт-песенник. Как Рубальская.

Я позвоню Игорю Крутому, а он потом скажет: «Кого ты ко мне прислала?»

— Пусть Дементьев позвонит, — предложила я.

— Ну как же... Мы же с вами знакомы. Можно сказать, дружим.

Фима не понимала: есть вещи, которые не даются по блату — это счастье и талант.

Фиме казалось, что все можно достать и купить.

Алекс разлил вино по фужерам.

— А что же мне делать? — спросила Фима.

— Ничего не делать, — посоветовала я.

— Я тоже ей говорю: зачем тебе эти стихи? — поддержал меня Алекс.

Фима нам не верила. Сидела с недовольным лицом. Она была человеком активных эмоций. Эти эмоции в ней кипели и бурлили. Она выкладывала их в своих стихах, но получалось «двадцатеро в степь ушло». «Сделать хотел грозу, а получил козу», как пела Пугачева. Но Фиме казалось, что ее коза — это как раз гроза, во всяком случае не хуже. Ее убивало наше непонимание. Но ничего. Алекс ее утешит, и довольно скоро. Не позже, чем сегодня.

Голос Бориса Белого был глухой и слабый.

— Ты где? — крикнула я в телефонную трубку. — В Москве или в Париже?

— Я в больнице. У меня инфаркт. И депрессия.

— А Оля где?
— Оля ушла.
— Как? — не поняла я.
— Ушла и украла у меня кольцо.
— Господи...

История оказалась такова: наше посольство в Париже давало прием в честь высокого гостя. На приеме присутствовали богатые виноделы, муж и жена, и их сын Поль Валери.

У семьи — гектары виноградников и сеть винных заводов. Богатейшие люди, миллионеры. Одеты скромненько: у жены пучок на затылке и дырка на чулке. Порвала и не заметила. Папаша — краснолицый, с пузом. Должно быть, пьет много вина.

Сын Поль Валери — тридцатилетний очкарик, увидел в толпе Олю и сказал себе: «Вот девушка, на которой я женюсь». А потом он, видимо, сказал это Оле. Оля колебалась, но недолго, потом ушла к Полю Валери. Может быть, в этот же вечер, не знаю. А кольцо забыла отдать Борису. Она про кольцо просто не вспомнила. Можно понять: Борис старый и бедный, а Поль молодой и богатый, и у него впереди большое будущее. А у Бориса — маленькое будущее: от шестидесяти до семидесяти, и от семидесяти до восьмидесяти. И се ту. А у Поля: от тридцати до сорока, от сорока до пятидесяти. И это только половина.

Вот так девушка с птицефабрики стала женой наследника миллионов. А кто устроил? Панков.

Надо будет передать ему ящик вина.

— А ты где, в Москве или в Париже? — не поняла я.

— В Москве. Какой Париж...

Борис страдал. У него рвалось сердце. Он не мог дышать.

Из больницы его забрала первая жена — та, у которой было от него двое детей и которую он бросил на полдороге.

Первая жена поселилась вместе с Борисом в убитой однокомнатной квартире. Ухаживала за ним, как сиделка. Убирала. Варила еду.

Борис не хотел есть. Не хотел жить. У него была глубокая депрессия.

Я изредка поддерживала его своими звонками, но он не мог говорить или не хотел. Трубку брала жена.

Я сказала жене:

— Спасибо вам.

— За что? — удивилась она.

— Ну... Не бросили человека. Помогаете.

— А как же? Мне его жалко. Он ведь не собака. Да и собаку тоже жалко.

Я догадалась: жена — хороший человек. Но хороших не любят. Любят плохих, с ними интереснее.

Борис не хотел жить. И вскоре умер.

Хоронили его три человека: первая жена и двое детей. Вторая жена не пришла. А Оля даже не узнала. Она в это время пребывала в Альпах. У них с Полем там было собственное шале — в переводе «хижина пастуха».

Жизнь груба. Счастье Фимы тоже развалилось. Жена Алекса Соня неожиданно для всех пошла на поправку. Анализы стали улучшаться, роковые показатели пошли вниз и тяготели к норме.

Соню выписали домой. Алекс ускакал в семью и даже не отзвонил Фиме. Ни тебе «спасибо», ни тебе «извини». Видимо, он любил Соню и предпочитал ничего не менять в своей жизни. Мужчины вообще инертны. Им главное — не вставать со своего кресла и не менять своих тапок.

Фима приехала ко мне совершенно разбитая новыми обстоятельствами. Стояла в дверях без лица. Вместо лица — белое пятно. Жизнь — пустыня, впереди один песок, а то, что возникает на горизонте — миражи. Приблизишься — и нет ничего. Вот и Алекс — мираж. Растворился.

Я пыталась ее успокоить:

— Все-таки хорошо, что Соня поправилась.

— Кому хорошо? Соне?

— Ну да...

— А я при чем? Я-то как раз и ни при чем.

Я искренне ей сочувствовала и не знала, что можно сделать. Хоть бери и отдавай своего мужа. Но они — не пара. Мой муж любит читать и молчать. А Фима не выносит ни первого, ни второго. Ее любимая книга — про Буратино, больше она ничего не читала. При этом трещит, не закрывая рта, и все время задает вопросы. Это значит: надо слушать то, что она говорит. Для моего мужа это непосильная нагрузка. Он бы умер. Или сбежал. Так что надо искать другой выход из создавшейся ситуации.

Я пригласила ее погулять. Движение полезно при стрессе.

Мы вышли за ворота. Перед нами расстилался дачный поселок невиданной красоты. Мачтовые сосны устремлялись к небу. Ели широко развесили свои лапы. Березки трепетали листвой. Возле соседского забора трудилась рабочая бригада белорусов. Они ставили новые ворота.

Бригада состояла из четырех человек — все красавцы, особенно бригадир в желтой рубахе.

У меня возникло большое желание: отделить этого бригадира от товарищей и вручить его Фиме взамен Алекса.

У Фимы возникло это же самое намерение: приватизировать желторубашечника. Она бесстрашно подошла к нему и спросила:

— А сколько стоят такие ворота?

— Вы хотите сделать заказ? — отреагировал бригадир.

— Я ищу варианты, — неопределенно ответила Фима.

— Вот моя визитка.

Бригадир дал визитку Фиме. Там был телефон и имя. Имя бригадира — Василь. Красиво.

Перед тем как отойти, я спросила:

— А вы здесь с семьей?

Я хотела уточнить: имеется ли в наличии жена? Это было важнее, чем ворота.

— Нет. Семья дома, — ответил Василь.

Белорусы, молдаване, армяне — дети разных народов едут в Россию на заработки, как на войну. Живут кое-как, терпят лишения. Зачем тащить с собой семью?

Фима приняла к сведению семейный статус Василя. Опять облом. Жизнь состоит из сплошных обломов. Невезучая Фима.

Мы вернулись ко мне на дачу. Фима спрятала визитку в сумку. Мало ли... Всегда есть шанс. Последнее дело — потерять надежду. Пока надежда жива — солнце всходит и заходит, и никогда не опаздывает с восходом.

эпилог

После смерти Бориса первой жене досталась его убитая квартира. Борис успел оформить дарственную.

Жена сделала ремонт и легко сдала, поскольку квартира в двух шагах от метро.

Деньги за аренду плюс пенсия — можно было раз в год съездить к морю и поставить недостающие зубы.

Оля занялась благотворительностью и работала, по сути, золотой рыбкой. Это оказалось не так просто, как можно себе представить.

Мой знакомый сценарист любил говорить: «Жизнь не так проста, как кажется. Она еще проще». Думаю, что это так и есть.

В моем случае: счастье — это природа и работа. Я не могу работать за границей. Во мне что-то не включается. Ток не идет. Получается не проза, а подстрочник. Поэтому мое место здесь, на задворках столицы. Счастье — это быть на своем месте в прямом и переносном смысле.

Я люблю смотреть по телевизору новостные программы: «Новости», «Вести» и так далее.

Я включила Первый канал и увидела свою подругу Фаину. Она стояла в Георгиевском зале, а президент Путин прикручивал на ее платье какой-то значок.

Фаина получила звание и стояла во всей красе — торжественная и нарядная, в замечательном платье травяного цвета.

Я не упала на пол от зависти. Наоборот. Я почувствовала в груди теплый толчок радости. Я была счастлива за свою подругу, искренне и до дна. И не напоказ, а сама с собой. Я знала: вся ее жизнь состояла из работы и поисков работы — труд и усилия и снова — труд и усилия. И вот — справедливый результат. Она стоит перед президентом, а он прикручивает ей значок, дырявит платье.

Фаина что-то мягко говорит президенту — не лает, а скорее поет. Он слушает и летуче улыбается. Наверное, она приглашает его сниматься в кино.

фуга баха

Меня пригласили на презентацию книги. Мой друг Сандро Бадридзе выпустил книгу и попросил меня поприсутствовать.

Мы с Сандриком знакомы с давних пор. Он — сценарист, режиссер, грузин, красавец и златоуст. Набит разными историями от макушки до пят, и эти истории у него никогда не кончаются. Рассказывает он замечательно. У него прекрасная русская речь, красивый голос с грузинским фоном. Он говорит правильно, но чувствуется, что знает еще один язык, который проступает как талая вода.

Мы познакомились в Доме творчества кинематографистов, где проходил семинар молодых талантов. Мы, молодые таланты, всегда находили повод повеселиться. В молодости жизнь поглощаешь горстями и все время чего-то ждешь. Например, успеха и желанной славы, а также богатства и любви.

Сандро был женат на прекрасной грузинке, у него и не могло быть другой. Я давно заметила: грузинские женщины — особенные, теплые и глубокие. Может быть, мне повезло. Я встречала только таких — само совершенство. Сандро и его жена Нателла были вместе чуть ли не со школы. Она была самая красивая девочка в классе. Сандро влюбился смертельно. Родители испугались и увезли его в другой город. Сандро каждый вечер садился на поезд, ехал к Нателле, и они всю ночь целовались в парадном подъезде. Так продолжалось целый год.

Далее: учеба в Москве, общежитие, голодуха. Сандро и Нателла прошли через нищету, через первый аборт. Потом долгое бесплодие, и наконец беременность с угрозой выкидыша. Нателла восемь месяцев лежала на сохранении в больнице, как в тюрьме. Не двигалась.

Ранний романтический брак. Они прошли через искушения, через свирепые ссоры. Но Сандро не мог себе представить, что вот — хлопнет дверь, и Нателла — чужой человек. Нателла — половина его. Они — одно.

Сандро приходил на семинары — стройный, с золотыми волосами, невероятными глазами — широко посаженными, цвета чая.

Он мне нравился, а я нравилась ему. Но не больше. Есть выражение: «Мы любим не тех, кто нам нравится». Поэтому любовь нас с Сандро не коснулась. И это очень хорошо. У нас не случился роман, слава богу, и это спасло нашу дружбу. Случайные романы мешают, как заноза. Хочется выдернуть. А когда человек просто нравится — это прочно, практически навсегда.

Сандрик и сейчас мне нравится, я им восхищаюсь, и это восхищение никуда не исчезает.

Однажды мы пришли с ним в ресторан Дома литераторов. Сели за столик. Стали придумывать сценарий. У грузин — совершенно особое воображение, из эпохи Возрождения. Это потому, что в Грузии много солнца, от этого люди там солнечные и хорошо поют.

В ресторан вошла Ванда, жена известного поэта, и села к нам за столик. С чего бы это? Посидела и ушла. А потом, через много времени, созналась, что была влюблена в Сандро и отслеживала его по всему Советскому Союзу. Куда он, туда она.

Сандрик жил в Тбилиси. Там работал и там набирался своих историй.

Однажды в Тбилиси приехали американские кинематографисты. Их надо было принять подобающе, а никого из ответственных людей не было на месте. Один — снимал свое кино. Другой — в отъезде. Третий — сломал ногу.

Позвонили Сандрику: выручай.

Сандрик в это время был свободен, бездельничал и с удовольствием погрузился в данное ему поручение. Он организовал богатых грузин, чтобы оплатили расходы, нанял маленький хор из пяти человек, чтобы пели на пять голосов, пригласил интересных людей и красивых женщин.

Грузинская интеллигенция — это особая статья.

Для грузина понятие «гость» — это тоже особая статья.

И понеслось: рестораны, грузинские витиеватые тосты, грузинские блюда, старинные памятники, Мтацминда, кладбища, свадьбы, архитектура, мастерские художников, археологические раскопки...

И все это сопровождалось бархатным вином и грузинским многоголосием.

Сандрик вошел в раж. Встреча происходила на самом высоком градусе дружбы и, практически, любви.

Хор из пяти человек садился где-то в уголке, вроде случайных посетителей. Но в нужный момент Сандрик делал незаметный знак, и они вступали божественным аккордом. Пение летело под своды ресторана, как горное эхо. Старинные мелодии завораживали, как будто сама Грузия вошла и зазвучала.

Американцы обомлели. Они попали в сказку. Они в нее верили. Ничего похожего в Америке нет и быть не может. Там каждый пасет свои интересы. А здесь нет своих интересов. Только распахнутые сердца.

Через пять дней американцы уезжали. Сандрик их провожал.

В аэропорту один американский сценарист, довольно старый, горько заплакал.

— Я не хочу уезжать, — сообщил он.

Сандрик перепугался. Вдруг этот седой хмырь захочет остаться навсегда?

— У меня есть сын и внук, но они никогда не приходят ко мне и не интересуются: как я живу? что у меня на душе? Они только ждут моей смерти, чтобы наследовать мои деньги. А здесь, в этом углу земли, меня любят, смотрят мне в глаза, как родные, неравнодушные люди. Я впервые за долгие годы не был одинок.

Старый американец припал к груди Сандрика. Сандрик погладил его по седой голове, как ребенка. Старик зарыдал еще горше.

Прощание удалось на славу. В последний раз выпили киндзмараули. Хор в последний раз пропел «Мравалжамиер».

Самолет улетел, Сандрик выдохнул.

Вернулось начальство. Спасибо не сказали. Гости — это святое и само собой разумеется, что их надо принять по высшему разряду.

Прошел год. Сандрик снял свой фильм. Два месяца не вылезал из монтажной. Последний месяц даже спал в монтажной, чтобы утром не тратить времени на дорогу.

Он не двигался, не дышал свежим воздухом, ел кое-как — все это не имело для него никакого значения. Главное — успех, а здоровье можно будет восстановить.

Фильм получился. Его послали на фестиваль в Америку.

Фестиваль проходил в городе Лос-Анджелесе, который когда-то американцы нагло отобрали у Мексики.

Жара. Сандрик задыхался, но при этом не пропускал ни одного просмотра, ни одного приема. Такой у него был характер. Жизнь не должна идти мимо. Он хотел участвовать в каждом ее моменте.

На очередной вечеринке к Сандрику подошла переводчица Соня и сказала:

— Вы бледный. Вам плохо?

— Мне хорошо, — ответил Сандрик.

Он весь вечер любовался Сониным затылком и шеей. У нее была очень красивая длинная шея, как у балерины.

Сандрик действительно неважно себя чувствовал, но ничто не могло его отвлечь от женской красоты.

— Вы бледный, — настаивала Соня. — Давайте съездим в госпиталь. Это рядом.

— А как мы поедем? — не понял Сандрик.

— Со мной. Я с машиной.

Сандрик не хотел в госпиталь, но его привлекла возможность оказаться с Соней наедине.

— Хорошо, — согласился Сандрик.

Отправились в госпиталь. Соня сидела рядом с прямой спиной, очень сосредоточенная. Сандрик выбирал момент, когда можно будет положить ладонь на ее шею, но не успел. Они приехали очень быстро.

Их приняла врач с азиатской внешностью. Скорее всего, китаянка. Спросила: на что больной жалуется?

— Мне трудно дышать, — сознался Сандрик.

Соня перевела.

— Проверим легкие, — решила китаянка.

— У меня с легкими все в порядке, — возразил Сандрик.

— Решать буду я, — жестко постановила китаянка.

Отвела Сандрика в бокс.

С легкими действительно все оказалось в порядке. Стали проверять сердце. Процедура называлась «эхо». На экране было видно сердце, оно тяжело, мучительно сокращалось. Фракция выброса была значительно ниже нормы.

Китаянка вызвала кардиологов. Сделали ангиографию. Это исследование показывает степень проходимости кровеносных сосудов, питающих сердце.

Ангиография показала, что все сосуды забиты на девяносто процентов. Сердце практически не получает кровь, ему нечего перекачивать.

Странно, что больной до сих пор жив и неплохо выглядит.

фуга баха

Врачи залопотали на своем языке. Соня слушала с непроницаемым лицом. Не хотела пугать русского. Потом обернулась к нему и сказала:

— Вас оставляют в госпитале. Вам необходима операция. Она называется шунтирование. Стоит сто тысяч долларов. Соглашайтесь.

— У меня завтра просмотр, — растерялся Сандро.

— Речь идет о жизни и смерти, — спокойно проговорила Соня. — У вас нет выбора. И знайте: вам повезло. Это лучший госпиталь в штате Калифорния. Благодарите Бога, что вы оказались в Америке. В Москве вы бы умерли.

— Соня, вы занимаетесь балетом? — спросил Сандрик.

— Значит, вы согласны. Я говорю «да».

— А вы будете меня навещать?

— Вас тут долго не продержат. Через два дня после операции уже заставляют ходить.

Деньги на операцию перевел старый сценарист — тот самый, что рыдал на груди у Сандрика. Он обзвонил своих коллег. Они скинулись по двадцатке. Получилась нужная сумма. Все это организовала Соня.

Через два дня после операции Сандрика действительно подняли на ноги. Он боялся, что у него треснут и разойдутся швы, но ничего не треснуло.

И вот Сандрик идет по коридору госпиталя и свободно дышит.

Однажды на перевязке Сандрик услышал, как один врач (тоже китаец) сказал другому:

— У этого русского высокий коэффициент атерогенности. Новые сосуды тоже скоро забьются холестеролом.

— А что делать? — спросил другой врач.

— Ходить. Сердце должно гнать кровь постоянно, работать как насос.

Сандрик все понял. Он действительно плохо дышал последний год. Была неудовлетворенность вдохом. Он набирал воздух, но не насыщался им. Как будто кислород не доходил до места. Сандрик грешил на монтажный образ жизни. Ему казалось: он окончит свой труд, «завещанный от Бога», восстановит режим, и все вернется на свои места. Но нет. Он, оказывается, ходил по краю пропасти и мог умереть в любую минуту.

Сандрик испугался задним числом.

Его приходили навещать, но Сандрик не радовался вниманию друзей, и даже шея Сони его не отвлекала от тягостных мыслей.

Однажды возникла Ванда с царскими подарками: модные шорты и экстравагантная майка.

Сандрик был подавлен и молчалив.

В Америку приехала его жена Нателла. Сандрик увидел Нателлу и заплакал.

Все закончилось тем, что они решили остаться в Америке. Если что, Сандрик побежит в госпиталь и его спасут. А в Тбилиси он умрет. И в Москве тоже. Медицина в России отстает на пятьдесят лет, а если быть точным, то на все сто. И пока мы догоним Америку, можно будет умереть и родиться заново и снова два раза умереть. А Сандрик любил жить и хотел жить. И при этом был молод, красив и талантлив. И Ванда не зря, хоть и безрезультатно, моталась за ним по всему земному шару.

Сандрик и его жена Нателла поселились в Санта-Монике на берегу океана.

Сын Миша пошел в своего папашу (а именно в Сандрика) и очень рано влюбился в черную девушку-эфиопку. Ее звали Доминика, и она родила мальчика-мулата. Назвали Резо.

Сандрик сажал внука на плечи и шел с ним гулять вдоль океана.

Воздух, напоенный йодом, красота для глаза. Все-таки океан — это нечто грандиозное. Планета. Параллельный мир, где живут разумные существа: киты, акулы, дельфины.

На плечах Сандрик чувствовал благословенную сладкую тяжесть трехлетнего ребенка, своего внука. Любовь и нежность омывали сердце. И сердце хорошо работало, качало и гнало кровь, как исправный насос.

Сандрик шел и не любил останавливаться, чтобы не прерывать движения. Но иногда все же попадались русские эмигранты, надо было поздороваться, перекинуться парой слов.

Все без исключения восторгались Резо. У него были керамические эфиопские глаза, точеное европейское личико и кожа — кофе с молоком. Смешение рас дает потрясающие результаты. Пушкин, например.

— Какая прелесть! Гений чистой красоты!

Это была привычная реакция на Резо. Сандрик улыбался, польщенный.

— Вы, москвичи, называли нас, грузин, «черножопые». Вот я родил вам настоящего черножопого грузина.

Это была дежурная шутка Сандрика. Она не соответствовала действительности. Русские всегда любили грузин. «Черножопыми» считались другие. Но Сандрик ради красного словца мог подставить и мать и отца. Такая особенность художников слова. И Сергей Довлатов грешил этим же. На него многие обижались.

Сандрик гулял вдоль океана каждый день по многу километров. Он загорел, похудел, окреп. В здоровом теле — здоровый дух, хотя дух у Сандрика всегда был здоровым, веселым и позитивным. Возле него хотелось находиться как можно дольше.

Сандрик зарабатывал сценариями. Он записывал свои истории, которыми был набит, как рюкзак туриста. Когда истории заканчивались, откуда-то наплывали новые. В нем постоянно бил источник, который не иссякал.

Сценарии покупали в Европе и в России, на «Мосфильме». Благодаря этому он часто появлялся в Москве.

Океан — величественное зрелище, но родина тянет.

Сандрик купил квартиру в Москве, чтобы не околачиваться в гостиницах. Он не любил гостиницы. Они напоминали ему о временности существования. Пожил в гостинице, уехал, а на твое место — другой. Так и в жизни. Пожил — умер. А на твое место — сын Миша. А после Миши — мулатик Резо. Оно, конечно, нормально. Ход жизни. Но лучше об этом не думать. Сандрику нравилось думать, что он будет всегда. Как Вселенная. Все постареют и умрут. Но не он.

Сандрик включился в московскую жизнь. Он виртуозно монтировал чужие фильмы, и его приглашали в качестве монтажера.

Поразительно, но он мог возродить к жизни любую убитую картину. Из кучи кинематографического хлама он складывал вполне пристойную историю, имеющую успех в прокате.

Сандрика приглашали на кинофестиваль в Сочи. Именно там я его и встречала раз в год.

Начало июня. Молодое лето. Мы сидим на берегу Черного моря, едим мытую черешню. Нас обтекает фестивальная жизнь.

Именно на «Кинотавре» я видела, как меняются поколения. Новое поколение вытесняет предыдущее. Мое поколение вытеснило «молодогвардеек» — Мордюкову и Макарову. Пришли следующие: Купченко, Мирошниченко, Вертинская. Красавицы. Далее пошли новые, которых я просто не знаю. Эти новые — совсем другие. Независимые. Обсалоненные (от слова «салон»). Непривычно ухоженные.

Именно на женщинах заметно, как меняется жизнь. Солнце светит им. А мы с Сандриком немножко сдвинуты в тень. Это обидно, но не слишком. Мы хорошо живем. Нам нравится. Наша энергия хлещет. Мы едим спелую черешню. Сплевываем косточки в кулак.

Мимо проходит цветочница Верочка. Она продает розы. Розы у нее болгарские — темно-бордовые тугие бутоны на длинных стеблях. И сама она — нераспустившийся бутон.

Верочке двадцать лет. Она — местная, сочинская. Подрабатывает на фестивале. У нее неожиданная прическа: гладкая головка, прямой пробор, две косички, которые она закрутила на ушах, как наушники. Девятнадцатый век. Сейчас так никто не носит.

Верочка глазастая, белозубая и смуглая. Позже она мне расскажет, что в ней пятьдесят процентов цыганской крови. Мать — цыганка, отец — еврей. Смелый еврей, который женился на цыганке.

В Верочке проглядывает экзотика, при этом видно, что она умная и скромная. Хорошая девочка. Это всегда считывается с облика.

Сандрик отвлекся от черешни, проводил ее глазами. Долго смотрел.

— Это Вера, — сказала я.

— Ты ее знаешь? Позови!

— Зови сам.

Сандрик подхватился с лежака, догнал Веру, купил у нее цветы. Одиннадцать роз. Куда их девать? Он принес мне.

— Отдай лучше Верочке, — посоветовала я.

Сандрик охотно помчался обратно и преподнес розы Вере.

Сандрику — под шестьдесят, но он не чувствует своего возраста. И никто не чувствует его возраста. В нем застряло что-то юношеское, даже подростковое. И красота осталась при нем. В шестьдесят лет человек еще похож на человека.

Сандрик куда-то пропал.

Я легла на лежак, стала загорать. Хорошо было лежать вот так, ни о чем не думать. Или думать о всякой ерунде. Надоело думать об умном. Мозги ссыхаются, как испорченный грецкий орех.

Я шла по коридору гостиницы.

Откуда-то из-под земли возник Сандрик и схватил меня за руку. Повлек в свой номер.

— Чего тебе? — не поняла я.

Сандрик толкнул дверь. Я вошла. И не поверила своим глазам. Вернее, поверила, но очень удивилась.

На разобранной постели сидела разобранная Верочка, свесив ноги. Она еще не успела одеться, но, видимо, собиралась.

Увидев меня, Верочка закрыла лицо руками. Ей было стыдно, она не знала, куда деваться.

Сандрик ее практически подставил. Но я знала: это не подстава. Это победа. И Сандрик просто хвастался передо мной. Даже не хвастался — делился.

— Козел, — сказала я ему и вышла из номера.

Бедная Верочка. А может, и не бедная, кто знает…

Вспыхнул страстный роман.

Сандрик жил в Москве и звонил Верочке в Сочи каждый день. В начале осени он пригласил ее в Москву.

Нателла оставалась в Америке.

Сандрик запустил Верочку в свою квартиру.

Верочка вошла и огляделась. Квартира являла собой логово холостяка, чувствовалось полное отсутствие женской руки. Вековая пыль. Все книги — на полу. Все краны текут. Тяжелые капли воды оставили в раковинах ржавые разводы.

Верочка без лишних слов отправилась в хозяйственный магазин и купила резиновые прокладки. Она раскрутила все краны, поменяла прокладки. Краны замолчали. Это было даже странно. В доме больше нет ритмично падающих капель, которые действовали Сандрику на нервы. Ему казалось, что с этим стихийным бедствием справиться невозможно. А оказалось — возможно, и главное — легко.

— А водопроводчика нельзя было вызвать? — поинтересовалась Верочка.

— Нельзя.

— Почему?

— Его надо ждать. С ним надо разговаривать. Целый день вылетает из жизни, — объяснил Сандрик. Ему было жалко целого дня.

На следующий день Верочка принялась за вековую пыль.

В доме просветлело и стало легче дышать.

Сандрик понял: Верочка — это кислород, это сама жизнь.

На третий день Верочка поехала в магазин «ИКЕА» и купила там книжный шкаф — дешевый и прозрачный, без боковых стенок.

Шкаф доставили по адресу. Верочка сама его собрала по чертежу. Это было не трудно. К полкам прилагались все необходимые шурупы.

Шкаф практически не занимал места. Верочка подняла с пола все книги и расставила их по полкам, грамотно рассортировав, как библиотекарь. Классика — вправо, современность — влево, поэзия — вверх, драматургия — вниз.

Сандрик вернулся домой с работы, он монтировал материал какого-то придурка. Наступили нулевые годы. Снимали все кому не лень, были бы деньги. Настоящее кино никого не интересовало. Большие таланты тоже не были востребованы. Ты гений? Твое личное дело. Отойди и не мешай.

Сандрика это угнетало. Он помнил другие времена, когда на таланты молились. Талантам было позволено ВСЕ.

Сандрик вошел в дом, увидел книжную стену, пеструю от обложек и замер, завороженный.

Вот оно — спасение! Верочка! Все несправедливости и подлости остались за дверью. А здесь его дом — его крепость, горные вершины, космос.

Забота не была односторонней. Сандрик тоже заботился о Верочке и устроил ее в институт, на заочное отделение. Верочка должна получить образование, и она его получила: художник по костюмам.

Верочка оказалась рукастая, с врожденным вкусом. Она чертила свои костюмы, как заправский модельер, как Соня Рикель, например. Не хуже. Преподаватели удивлялись, и не только. Восхищались. Верочка нравилась. Ее называли «девочка-уют». Возле нее было спокойно, солнечно, осмысленно и вкусно. Настоящий клад. И как он свалился Сандрику в руки? Тайна сия велика есть.

На следующий «Кинотавр» Сандрик появился вместе с Верочкой. Он ее больше не прятал. Это была пара. Сорок лет разницы никого не смущала. У каждого свои козыри. У Верочки — молодость, у Сандрика — талант.

Талант — штука редкая и ценится не меньше, чем молодость, — так что все справедливо.

Все знали, что Сандрик женат. Нателла незримо маячила на горизонте. Но кино — это богема. В кино — плавающая нравственность. Можно так, а можно так.

Жена в Америке — это виртуальная жена, хотя и законная. Но более законная та, что рядом. Та, что спит у тебя на плече и дышит в ухо. Все это понимали.

Я иногда думала: а где родители Верочки? куда смотрит мать-цыганка? У цыган с нравственностью жестко. Они не разводятся.

Я общалась с Верочкой, но вопросов не задавала. Единственный раз спросила:

— А что, твои ровесники вымерли?

— Нет, — легко ответила Верочка. — Ровесников полно, как грязи. Просто с ними не интересно.

— А подруги у тебя тоже пенсионерки?

— Подруги всякие, — уточнила Верочка. — Они все время хвастают: сколько раз за ночь... А мне это совершенно не интересно. У меня другие приоритеты. Когда Сандро открывает рот — все тонет, «замолкли птичек хоры, и прилегли стада».

Верочка светилась глазами и зубами. Она светилась вся, как электрическая лампочка.

Я ей верила. Я тоже ценю в мужчинах индивидуальность, а не сексуальную мощь. Секс со временем обесценивается, а талант — никогда. Это всегда интересно, всегда ново. После общения с талантом хочется жить и совершать подвиги.

Я Верочку понимала, и она это видела и любила меня за понимание.

Мы обнимались, прощаясь. У Верочки были сильные, прохладные руки.

Верочку приятно было чувствовать, на нее было приятно смотреть и слушать. Умная, красивая и сексуальная. Сандро поистине повезло во всех отношениях.

Открытие и закрытие фестиваля — это дорожка славы.

Сандро брал с собой Верочку, и они шли рядом.

Верочка — юная, с распущенными волосами, в роскошном платье, которое она сама себе придумала и сшила. Рядом — стройный, статный Сандро в черно-белом, как пингвин.

Седеющий красавец. Не хуже, чем Ричард Гир, если не лучше.

Толпа по обе стороны дорожки им рукоплескала, хотя лица были не знакомы. Режиссеров и сценаристов знают мало, в отличие от актеров. Актеры — вот кто любимцы толпы.

После закрытия был фуршет на берегу моря. Мы с Сандриком стояли рядом. Верочка все время куда-то исчезала. Сочи — ее город. Многие хотели попасть на праздник, посмотреть на артистов вблизи.

Верочка протаскивала страждущих через охрану. Не одной же ей счастье. Она была способна делиться всем. И фестивалем в том числе.

Мы с Сандриком ели куриные шашлыки на деревянных палочках.

— Ты готов бросить Нателлу? — спросила я.

— Ни в коем случае. Это невозможно.

— Почему?

— Я вытолкну ее на холод. В ночь. Я не могу этого сделать.

— Понятно, — сказала я. — А как поживает Резо?

— Поживает. У него впереди своя долгая жизнь. А у меня впереди хвост кобылы.

— Какой кобылы?

— Везущей за собою чей-то гроб.

— Это еще не скоро, — успокоила я. — Лет через тридцать.

— Скоро, — возразил Сандрик. — Я больной человек. Я ей говорю: «Вера, зачем я тебе нужен? Меня грохнет инсульт, будешь за мной говно выносить».

— А она?

— Она говорит: «Твое говно не пахнет...» Если бы можно всегда быть рядом с ней, жить ради нее, я был бы самый счастливый человек. Мне больше ничего не надо...

Подбежала Верочка. Мы замолчали.

Прошло десять лет.

Я перестала ездить на «Кинотавр». Со временем все обесценивается, как секс. Интересно, а жизнь? Теряет ли она свою цену?

Сандрик написал и выпустил книгу в хорошем издательстве. Издатели позвонили мне домой и попросили прийти на презентацию.

Я не люблю посещать подобные тусовки, не вижу в них смысла. Но, узнав, кто автор, не посмела отказать.

Старая дружба не ржавеет. Старая любовь как раз ржавеет, а дружба — никогда.

Я приехала в книжный магазин, где проходила презентация.

Прошло много лет. Время меняет человека. Моя фишка состояла в том, что я всегда была талантливая и молодая. Два в одном. И терять что-либо из двух составляющих было обидно. Однако время идет. Я довольно легко переносила время и не видела в зеркальном отражении больших перемен, но другие могли видеть. Хотя каждый человек к себе не критичен и легко прощает себе все недостатки. Каждый сам себе звезда. Короче, я нарядилась и заявилась.

Первая, кого я увидела в магазине, была Верочка. Она гналась за трехлетним мальчиком, который от нее удирал и прятался за книжными стеллажами.

Верочка подлетела ко мне. Она поменяла прическу — тридцатые годы, короткая челка, как у Марины Цветаевой, летящие одежды, крылья на ногах. Ей тридцать четыре года. Расцвет.

Появился Сандро. Он отпустил бороду и сбрил волосы на голове. Его череп был породистый и скульптурный. Борода — совершенно седая, белая, как вата.

Особых перемен я в нем не углядела. Для меня он был тот же самый Сандрик. Я видела его слепотой любви. Он по-прежнему мне нравился, нисколько не меньше, чем в молодые годы.

Верочка села в первый ряд, держа на коленях трехлетнего сыночка. Мальчика звали Александр (тот же Сандро). Он был похож на цыганенка. Пошел в свою бабку по материнской линии.

Мальчик спокойно сидел на маминых коленях и ел шоколадку. Он широко кусал и вдохновенно жевал. Под конец засунул в рот слишком большой кусок, и его верхняя губа отъехала, удерживая шоколад.

Нателла, основная жена Сандро, задержалась в Америке.

Она придумала детскую мебель в форме зверушек. Сняла помещение, пригласила рабочих, преимущественно мексиканцев, и создала фирму.

Мебель пользовалась огромным спросом. Деньги потекли на счет Нателлы. Это было радостно и очень интересно. Нателла никогда не жила так широко и свободно. Они с Сандро всегда сводили концы с концами. А иногда и не сводили.

Невестка-эфиопка делала расчеты, вела бухгалтерию. Она оказалась деятельной и практичной. Сын Миша (муж эфиопки) в семейном бизнесе не участвовал. Искал себя. Он мечтал прорваться в Голливуд в качестве режиссера, но в Голливуде русских не жаловали. Все-таки русские хоть и люди, но они другие. Любят копаться в своей душе, доставать из нее всякую «достоевщину» и подробно рассматривать. Американцам это не надо. Они любят победителей.

Миша комплексовал, но надеялся на хеппи-энд.

Мулатик Резо просто рос, не теряя очарования, и уже ходил в школу.

Отсутствие Сандро семья переносила легко. Перезванивались по телефону раз в неделю. Потом раз в две недели. Разговоры становились все короче.

Детская мебель забирала у Нателлы все время и все внимание. Нателлу ничего не беспокоило: Сандро не мог жить без работы, а работу он мог найти только в Москве. У Сандро — свое дело, у нее — свое.

Но однажды случилось непредвиденное. Сандро объявил по телефону, что он уходит из семьи. И не просто уходит, а женится. И не просто женится, а становится отцом. Должен родиться ребенок.

Нателла могла ждать от Сандро чего угодно, но не предательства. В нее как будто выстрелили. Они прошли вместе такие узкие места... У них была своя война и своя тюрьма, которая их спаяла. Казалось, что ничто и никогда не разорвет этот монолит. Нателла знала, что Сандро — ходок, но это было поверхностное проявление характера, как грим на лице. Умоешься, и нет ничего.

И вдруг — выстрел в спину.

Нателла вначале взбесилась, а потом просто умерла. При этом она ходила, двигала ногами и руками, распоряжалась рабочими, но ее не было. Жизнь остановилась, и кровь не бежала по сосудам. И ничто не радовало. И все было безразлично: еда, вода, жизнь, деньги. Какая разница? Ее мир рухнул.

Сандро не ожидал такой реакции. Он думал, что Нателла давно уже не нуждается в своем муже, у нее своя жизнь. Они жили на разных скоростях, и им даже удобнее было жить врозь. Но, объявив о разрыве, Сандро почувствовал пустоту и страх. Как будто обрубил якорь и теперь его корабль вышел в открытое море, и неизвестно, куда плыть, и страшно, что перевернется.

Если бы Нателла сказала: «Иди с богом, гуд-бай», ему было бы легче, но она страдала, и он страдал вместе с ней.

Казалось бы, узел разрублен, с двойной жизнью покончено. Должно наступить облегчение, но...

Это было тяжелое время. Как будто ампутировали прошлое и мучили фантомные боли.

Началась презентация.

Народу набежало много, человек сто. Для книжного магазина это — большая толпа.

Я сидела за столом рядом с Сандро. Слева и справа высадились издатели — молодые женщины, красивые и нарядные, как кинозвезды.

Зал захлопал, приглашая.

Я видела, что Сандро волнуется. Это была его первая книга.

Сандро поднялся. Интересно, как он выглядит со стороны? Для меня он был тот же: яркий, талантливый, красивый. А для непосвященных — внушительный старик с седой бородой.

— Мне семьдесят пять лет, — начал Сандро, — моему сыну три года.

Зал ухнул, но быстро затих.

— Я никогда не увижу свадьбу своего сына. И это меня печалит.

Я задумалась. С одной стороны, Сандро обрел новую молодую любовь, а с другой стороны — он нарушил ход времени.

Как распорядилась жизнь? Двадцать пять лет — отец. Пятьдесят лет — дед. А семьдесят пять лет — прадед. Значит, Сандро родил себе правнука.

Ребенок — это большое счастье, но и большой труд. В семьдесят пять лет взращивать человечка изо дня в день — большая нагрузка, особенно если у тебя нет лишних денег. А у Сандро нет лишних денег. По сегодняшним временам он — беден. Не голодает, конечно, но няньку ребенку нанять не может. Все на Верочке.

Верочка сидит в первом ряду, обняв своего цыганенка. Ее личико непроницаемо. Счастлива ли она?

А какой у нее выбор? Осталась бы в Сочи, вышла за ровесника, получила серую унылую жизнь, которая тянется долго, как степь. А сейчас она живет рядом с талантом.

Талант — это особая энергия. Зрители ощущали эту энергию и слушали, внимали, не дыша.

Сандро рассказывал о грузинском кинематографе, о грузинских короткометражках шестидесятых годов. Новое поколение, сидящее в зале, ничего об этом не знало.

Я с удивлением заметила, что в зале много молодых лиц и много особей мужеского пола.

Это непривычно. Обычно на культурные мероприятия ходят женщины.

Я сидела и думала: как изменилось время. Солнце светит другим, а мы, холстомеры, пребываем в тени и делаем вид, что солнце светит нам в макушку.

После Сандро выступали издатели. Сегодняшний издатель — это менеджер. Хороший менеджер — тоже особый талант.

Я наклонилась к Сандро и тихо спросила:

— Как я выгляжу? Я сильно изменилась?

— У тебя глаза, как у этого... как его... у Стаханова.

Стаханов — это шахтер, который в тридцатые годы дал две нормы угля. А может, пять. И этим прославился. Он был оружием сталинской пропаганды. При чем тут я и Стаханов?

— Что было у него в руках? — спросил Сандро.

— Отбойный молоток.

— Вот. У тебя глаза, как отбойный молоток.

Сандрик хотел сказать: личность сохранилась.

Меня это устроило.

— Ты что-нибудь снимаешь? — спросила я.

— Да. Пушкина.

— Что именно?

— Как это... Ну... В общем, там был Герман.

— «Пиковая дама», — догадалась я.

— Да! Господи, как это я забыл… Ну конечно, «Пиковая дама».

Я поняла: память говорит Сандрику «до свидания». Все портится от времени: самолеты, корабли, люди. Это называется энтропия. Рассеивание энергии.

После презентации Сандро пригласил всех в ресторан, но я не пошла. Мне уже вызвали такси, и было неудобно отменять заказ, хотя, конечно, хотелось праздника. И есть тоже хотелось.

Я стала прощаться.

— Ну как же, — огорчился Сандрик, — ведь я ради тебя все это затеял.

— Бороду покрась, — посоветовала я.

Шофер такси оказался вполне молодой брюнет с трехдневной щетиной.

Я села рядом. Я люблю ехать рядом с шофером, хотя это считается самое опасное место.

Я искоса приглядывалась: какой он национальности? Я умею считывать с облика национальную принадлежность. Я четко отличаю грузин от армян и сразу вижу азербайджанцев. Мусульмане имеют совершенно другую музыку лица, и поразительно — их язык похож на их лица. Казалось бы: как может быть язык похож на лицо? Может. Единый Божий замысел.

Я не выдержала и спросила:

— Какая у вас национальность?

— Чеченец, — хмуро ответил шофер.

— А как вас зовут?

— Шамиль. А что?

— Ничего. Так...

Я никогда не слышала чеченского языка. Я попросила:

— Скажите что-нибудь по-чеченски.

— Зачем?

— Интересно...

Он подумал, что бы сказать, и проговорил по-чеченски несколько фраз.

— Что вы сказали? — поинтересовалась я.

— Совесть моя спокойна. Я работаю.

— А можно еще раз?

Он повторил.

Я вслушивалась в язык — очень сложный, какой-то горный и дикий. Я не в состоянии была бы повторить ни единого слова. Я спросила:

— А к какой языковой группе относится чеченский язык? К тюркской?

— Нет. Ни к какой. Он один, в одном экземпляре. Кроме чеченцев на нем не говорит никто. Чеченцы уникальны.

— Я знаю. Кроме чеченцев никто не сажает пленных в зинданы. Я недавно перечитала «Кавказский пленник» Толстого. Там два царских офицера были захвачены в плен и сидели в яме. И сейчас в XXI веке — то же самое: воруют людей — и в яму. Что за манера такая?

Пауза. Я решила, что Шамиль не хочет это комментировать. Мы ехали молча.

Неожиданно для меня он проговорил:

— Кто с мечом к нам войдет, от меча и погибнет. Независимо от того — Ермолов это или Ельцин.

Я поняла, что мне лучше помолчать. Мы, москвичи, были подвержены античеченской пропаганде. Для нас чечен — это головорез. Режут головы людям, как баранам. Еще Лермонтов писал: «Злой чечен ползет на берег, точит свой кинжал». А вот рядом со мной сидит вполне красивый, мужественный Шамиль. От него исходит спокойная, властная и благородная энергия. Что мы о них знаем? У них своя правда, а у нас — своя. У нас «Отче наш», а у них «Аллах акбар». Как могут люди быть такими разными и такими одинаковыми одновременно?

Дорога была длинная, полтора часа пути. Ехать и молчать — тягостно. Я спросила:

— Нравится вам в Москве?

— Нет, — коротко ответил он. — Просто в Чечне нет работы.

— А какое у вас образование?

— Финансовая академия.

— Финансист не может найти работу? — удивилась я.

— Не платят, — объяснил Шамиль. — Дают смешные деньги. Кошку не прокормить.
— Сейчас везде так, — утешила я.
— Вот и приходится крутить баранку.
— А вы бы хотели остаться в Москве?
— Ни в коем случае.
— Почему?
— Я не люблю большие города, я люблю маленькие аулы. У меня дом у подножия горы. Родник бьет прямо из-под земли. Я провел воду в дом. У меня из крана течет минеральная вода. Это живая вода. А та, что в московских трубах, — мертвая.
— Почему? Ее очищают.
— Вот поэтому и мертвая. Из воды удаляют все микроэлементы. Яблоки в палатках обмазаны воском. Блестят и ничем не пахнут. Овощи в нитратах. Ваши куры пахнут рыбой. Вы не живете, вы выживаете.
— Сейчас весь мир так живет.
— А я так жить не хочу. И не буду.

«Хорошо тебе», — подумала я. И мне вдруг тоже захотелось к подножию горы: пить бульон из курицы, кормленной кукурузой и пшеном, есть мелкую сладкую натуральную клубнику, а не турецкую, облитую формалином.

— Вы женаты?
— Конечно.
— А жена с вами?
— Конечно.

— А у вас есть здесь друзья?
— Конечно.
— Чеченцы?
— В Москве большая чеченская диаспора. Мы общаемся и помогаем друг другу.
— Как евреи, — сказала я. — У евреев взаимопомощь записана в религию.
— Религия ни при чем. Просто мы не дома. Мы здесь, как в лесу... Недавно ко мне в машину села чеченка. Мы разговорились. Я ей сказал: «Если тебе понадобится машина — звони. Вот телефон. Я отвезу тебя куда надо, без вопросов».
— Молодая? — догадалась я.
— Двадцать шесть лет. Зовут Мадина. Но это не то, о чем вы думаете. Просто она в Москве одна. В Гудермесе осталась ее семья, мать и братья. В Москву она приехала на заработки. Как я.
— Позвонила? — спросила я.
— Позвонила на другой день.
— Понятное дело. Вы — красивый.
— Да нет. Она позвонила и сказала, что ей плохо. Надо срочно в больницу. Сообщила адрес съемной квартиры. Я подъехал. Вышла хозяйка и сообщила, что Мадине стало совсем плохо, они вызвали скорую, и Мадину отвезли в больницу. Сказала в какую.

Я поехал, поднялся в хирургию. Вышел хирург. Он мне не понравился. Совсем молодой, тощий, как дрыщ, в прыщах, волосы серые. Практикант. Я спросил, что с Мадиной, и сказал, что хочу ее увидеть. А он мне: «Больная в реанимации, спит после наркоза. Приходите завтра».

Я пришел завтра.

Появилась медсестра и сказала: «Больную отвезли на повторную операцию. Что-то там не так пошло, какие-то осложнения». Я спросил: «А что с ней было?» Она: «Апоплексия яичника». Я: «А что это такое?» Она: «Разрыв яичника. Как инсульт, только в животе».

Значит, кровь пролилась в брюшину. А этот дрыщ не промыл как надо. Практикант, что с него возьмешь.

Я сказал сестре, что хочу Мадину видеть.

Она: «Какой смысл? Больная спит после наркоза. Приходите завтра».

Я пришел завтра.

Возник опять этот дрыщ и сообщил, что Мадину перевели в другую больницу, № 41.

«Почему?» — «Потому что там больница более сильная, оснащенная техникой».

Я догадался: запороли девчонку и сбагрили умирать в другое место, чтобы не портить показатели. Смертельный случай в двадцать шесть лет произведет на начальство плохое впечатление.

Я посмотрел на практиканта. Он обосрался. Я хотел взять его за горло, но какой смысл? Вызвали бы милицию, а у меня документы не в порядке. Нет регистрации. Ваши чиновники умеют так все сделать, чтобы самим разбогатеть, а бедных ободрать до ребер. Мораль на нуле.

— А как Мадина?

— Приехал я в 41-ю больницу. Вошел в приемный покой. Смотрю, Мадина лежит на каталке. Привезли и бросили. К ней никто не подходит. Ясен пень: кто она такая? Чурка с улицы. Ни денег, ни сопровождения, кому она нужна? Умрет — никто не хватится.

Я подошел к Мадине. Она была в сознании, смотрела в потолок, покорно ждала. Как кролик.

Я сказал: «Дай мне телефон твоих братьев». — «Зачем?» — «Они должны приехать». — «Они работают. Я не хочу отрывать их от работы». Я сказал: «Братья на то и существуют, чтобы защищать».

Она продиктовала мне телефон. Я его запомнил. У меня хорошая память. Я все телефоны держу в голове.

Мимо меня прошла врачиха.

«Кто-нибудь может подойти к больной?» — спросил я довольно невежливо. Она ответила мне так же невежливо: «Здесь все больные, и все ждут». «Где находится главврач?» — потребовал я. «А зачем вам?»

Я не ответил. Пошел искать кабинет главврача.

Нашел. Кабинет оказался на третьем этаже. Главврач сидел на месте. Он был похож на хряка — с белесыми ресницами, с высокими ушами. Разговаривал по телефону: «Да, дорогой, да, мой хороший, не волнуйся, я создам тебе все условия, ты сможешь работать, у тебя будет отдельная палата, телевизор, холодильник. Конечно, дорогой, конечно, мой хороший. Жду».

Я стоял и ждал. Он положил трубку, поднял на меня тяжелые глаза. То ли перепил, то ли недоспал.

«Что вы хотите?» — хмуро спросил хряк. «В приемном моя знакомая, к ней уже три часа никто не подходит». — «Вы кто?» — «Никто». — «А вы откуда?» — «Из Чечни. Мою знакомую привезли к вам из 67-й больницы». — «Как фамилия?» — «Мадина Дудаева». — «Родственница Дудаева?» — насторожился главврач. «Да нет. У нас Дудаевых пол-Чечни». — «Понятно. Вы хотите, чтобы я все бросил и пошел в приемный покой?» — «Да. Хочу. Больной человек валяется там, как собака. И никакого внимания». — «У нас все в одинаковом положении. Если врачи не подходят, значит, заняты. У вас все? Я вас не задерживаю». — «Хорошо. Я уйду. Но я вернусь со своими друзьями, и вы нам все расскажете: в какой палате она лежит и какие у нее перспективы. Нам дорога жизнь Мадины, а вам ваша. Надеюсь, вы меня поняли? Тогда до встречи, мой дорогой, мой хороший».

Я повернулся и вышел.

Иду по коридору, слышу за спиной быстрые шаги: топ-топ-топ. Это был главврач. Он подскочил ко мне, схватил за рукав. Я вырвал руку, иду дальше. Он забежал вперед, перегородил мне дорогу. Пришлось остановиться.

«Послушайте, — торопливо заговорил хряк. — Вы должны меня понять. Ну откуда я знаю — кого привезли, откуда, с каким диагнозом, какие перспективы? У меня даже нет ее истории болезни. Я сейчас позвоню в приемный покой, ее оформят. Я посмотрю историю ее болезни. Тогда поговорим. Приходите после обеда».

Я принял к сведению и двинулся дальше, обогнув хряка. Я понял этого типа. Его надо либо купить, либо напугать. Страх действует более результативно.

Стемнело. Машина шла по дороге, которую я не узнавала.

— Мы проскочили поворот, — догадалась я.

— Сейчас развернемся, — спохватился Шамиль.

— Помолчим, а то опять проскочим.

Разворот был далеко, пришлось ехать еще полчаса. Наконец развернулись. Мне стало спокойнее.

— А что Мадина? — спросила я.

— Я позвонил братьям. Они на другой день прилетели в Москву. Я их встретил в аэропорту. Объяснил: какая больница, что, чего…

— А дальше?

— А дальше — это уже не моя территория. Они — семья. Я передал Мадину в надежные руки. Все.

— Но она осталась жива?

— Скорее всего.

— А вы что, не знаете?

— Если бы она умерла, мне бы сообщили. А так никто ничего не сказал, значит, жива. Я думаю, хряк все обеспечил: хорошего хирурга, отдельную палату с холодильником. Так мне кажется.

— Русские боятся чеченов. Предпочитают не связываться, — заметила я.

— И очень хорошо. Русских надо покупать или пугать. Другого языка они не понимают.

Я не стала поддерживать эту тему. Перевела разговор.

— У вас хороший русский язык. Откуда? — поинтересовалась я.

— Я учился в Ростове, кончал академию. И дома ходил в русскую школу. Русский язык трудный, но очень удобный. В нем много оттенков. И можно выразить все. У меня много русских друзей. Русские — великая нация, но их испортила перестройка, капитализм. Все думают только о деньгах. Все служат мамоне.

— За деньги счастье не купишь, — изрекла я известную, даже избитую фразу.

— Купишь, — возразил Шамиль. — Вот совесть не купишь. Это да.

Мы еще несколько раз свернули не там, где надо, пришлось возвращаться.

Домой я приехала через три часа. За это время можно было долететь до Венеции.

Перед моими воротами Шамиль остановил машину. Вышел. И стоял, подняв лицо к небу.

Он устал и заряжался от космоса.

Дома я достала из холодильника банку зеленого горошка и съела. Я хотела есть. А Сандро со товарищи сидят сейчас в грузинском ресторане и едят шашлыки, сациви и хинкали. Если бы я пошла с ними, получила бы праздник. Но я три часа ехала с Шамилем, и мне было интересно. Где бы я еще встретила такого Шамиля? И зеленый горошек, между прочим, тоже очень вкусный, если его подогреть с кусочком сливочного масла и есть большой ложкой.

Жизнь вообще многовариантна и многослойна, как фуга Баха. Надо только услышать главную партию, побочную партию и уметь отделить одну от другой.

разные задачи

Я построила дом, который мне нравился за одним исключением. Я не предусмотрела спальню на первом этаже, а лестница на второй этаж оказалась крутовата. Расстояние между ступенями — семнадцать сантиметров, а надо пятнадцать. Два сантиметра решили дело. Иногда такая мелочь становится роковой.

Как это произошло? Как случилось, что я не предусмотрела нужный наклон своей лестницы?

Рассказываю.

Мои рабочие (белорусы) уехали к себе в село сажать картошку. А может, собирать урожай. Не помню. Я осталась одна, и ко мне во двор забрел мужик. Представился: зовут Петрович, живет в Архангельске, работает пожарным. Умеет складывать камин. Не нужен ли мне камин?

Нужен.

Петрович сложил угловой камин за два дня. Вывел на крышу трубу. Продемонстрировал результат. Камин работал как зверь. Тяга такая, что вытянет кота.

Я спросила: сколько? Петрович мялся. Ему неудобно было брать с меня деньги. Я его приютила, кормила. Он считал, что этого достаточно.

Наш поселок кипел шабашниками. Все как стервятники. За рубль в церкви пернут. А мой Петрович сложил суперкамин и не решается взять честно заработанные деньги. Стоит, стесняется, как чеховский студент.

После перестройки нация испортилась, но не окончательно. Остались золотые острова в виде Петровича. Было понятно, что «я его никогда не увижу, я его никогда не забуду».

Он уехал и оставил на душе тихий праздник, как рассвет над Москва-рекой.

Вернулась моя бригада.

Вошли в дом. Широкий камин сиял в углу. Каждый кирпич был покрыт лаком. Угловой камин-красавец. Но... Он занял то место, где должна была стоять лестница.

— А где мы поставим лестницу? — спросил меня прораб Борька.

Я все поняла. И зарыдала.

Мои белорусы не представляли себе, что я могу плакать.

А я могу.

Было непонятно: что же теперь делать? Разрушать камин? Рука не поднималась. Ставить лифт?

Пришел хороший архитектор с чешской фамилией Лаучка, все просчитал. Сварщики сварили жесткую лестницу из швеллера. Покрыли металл деревом. Все обошлось, единственно расстояние между ступенями составляло семнадцать сантиметров при норме пятнадцать. А еще лучше тринадцать.

Но хорошо хоть так.

Какой-то кусок жизни я бегала по этой лестнице вверх-вниз, потом ходила. А потом встал вопрос: надо создать дополнительную спальную комнату на первом этаже.

Время идет вперед и никогда назад. И мое время тоже будет идти вперед, и об этом надо подумать сегодня. Умные люди заранее готовят свое будущее.

Встал вопрос: где расположить будущую комнату, позади дома или сбоку?

Позади дома росла вековая ель, которая простиралась до неба. Она закрывала солнце, была очень мощная и старая. Не удивлюсь, если она видела Льва Толстого, хотя зачем было Льву Николаевичу ехать в Подмосковье? У него был свой дом в Ясной Поляне, кстати очень маленький для большой семьи.

Близкая подруга насоветовала мне бригаду строителей из Западной Украины. Она проверила их в работе и осталась довольна.

разные задачи

Рекомендация — большое дело. Мало ли кто припрется?

В 90-е годы еще не было строительных фирм, орудовали шабашники — обычные рукастые мужики, а иногда и криворукие. У них даже не было инструментов — ни топора, ни гвоздя. Являлись с голыми руками. Приходилось бродить по поселку, как бездомная собака, и клянчить то одно, то другое.

Моя бригада была сбита в стаю. У них оказался прораб Колька и все, что надо для работы, включая машину «Лада». Если чего не хватает, можно махнуть на базар и купить.

Колька — сорокашестилетний высокий крепкий мужик в комбинезоне на американский манер. На голове — бейсболка с длинным козырьком. Все вместе с голубым честным взором внушало доверие. Рядом крутился двадцатилетний сынок — белобрысый, белозубый, нахальный, прикрытый отцовской любовью.

Позади Кольки как греческий хор стояла бригада. Примерно шесть человек. В темных рабочих одеждах, скромные, тихие. Я бы сказала: забитые. Колька смотрелся на их фоне как султан Сулейман. Его распоряжения не обсуждались и выполнялись беспрекословно.

Я недолго сомневалась: нанимать Кольку или нет? Раз он тут стоит, значит — бог послал. А если бог послал — надо брать.

Я видела, конечно, что Колька хитрован, клейма негде ставить, но они все такие. Приезжают на заработки, живут как рабы, мужественно сносят все тяготы и лишения. Их главная задача — заработать и уехать домой с деньгами.

А моя главная задача — комната на первом этаже.

Колька назвал цену. Она меня не напугала. Я еще не знала, что первая цена — это приманка. Сыр в мышеловке. В дальнейшем эта цена удваивается, утраивается и упятеряется.

Однако комната — главнее денег.

У меня два сна — дневной и ночной. Я два раза в сутки должна карабкаться вверх и вниз, преодолевать маршрут. А время, как я уже говорила, идет вперед, «года к суровой прозе клонят». К тому же я — человек не спортивный. Не люблю трудности и преодоления.

Выбираем место для пристройки.

Колька убежден, что комнату надо пристраивать позади дома, как бы продолжить дом. Но ель...

Один из рабочих по имени Васька надевает на ноги «когти» и лезет на дерево. Он взбирается ловко, как обезьяна, при этом обезьяна некрупная, мартышка. Добирается до верхушки и сидит там, обхватив ствол руками и ногами.

Ветер активно раскачивает верхушку, и Васька раскачивается влево и вправо с довольно широкой амплитудой движения.

Мне кажется, это страшно. Но Васька прижался щекой к стволу, сидит с ним в обнимку, и его мотает между небом и землей.

Далее в его руках оказывается пила «болгарка». Васька начинает резать дерево по кускам.

Сначала отделяется верхушка. Потом Васька опускается на метр и режет ствол ниже. Это похоже на фокусы Дэвида Копперфильда. Куски дерева падают отвесно и точно в цель, не задевая крыши моего дома.

Через час от ели остается высокий пень. Это невозможно себе представить, но это так. Пень и гора веток. Рабочие сноровисто обрубают ветки от ствола и жгут их на открытом месте. Смолистая хвоя горит с веселым треском, пламя рвется в небо. Через час нет и веток тоже. Только ствол, разрезанный на ровные куски.

Колька озвучивает цену за ель. Я даю в два раза больше. Вторая цена — это плата за страх. Есть то, что дороже денег, а именно — глубокое удовлетворение результатом труда. Не просто сделано, а сделано максимально хорошо.

Мопассан вообще считал, что смысл жизни — делать свою работу хорошо. Не важно, какую работу: написать книгу или свалить дерево.

Я плачу удвоенную цену за сброшенную ель и за смысл жизни. Колька быстро соображает, что я — интеллигентка, восторженная дура, мною можно манипулировать.

Следующий этап: фундамент.

Нужно вырыть ров глубиной один метр восемьдесят сантиметров. Глубина должна соответствовать уровню промерзания.

Земляные работы — тяжелая составляющая. Если не следить, могут вырыть наполовину. Ров будет мелким, зимой земля начнет выталкивать фундамент, по стенам пойдут трещины. Это недопустимо.

Я хожу вдоль рва, смотрю как ястреб, проверяю глубину двухметровой палкой.

Колька видит, с кем связался, и понимает: лучше не рисковать, иначе не заплатят. Я способна не только увеличивать цену, но и сокращать.

Мы с Колькой понимаем друг друга без слов. Моя задача — комната, его задача — прибыль. Хочешь получить прибыль, работай добросовестно.

Через два дня ров предстал во всем великолепии — глубокий, ровный, как на чертеже.

Теперь туда надо опустить арматурную сетку.

Сварщик Андрей режет арматуру на ровные куски. Васька (тот, что сидел на дереве) связывает куски тонкой проволокой.

Сетка готова. Ее опускают в ров. Я смотрю на это сооружение. Буквально Карл Фаберже, произведение искусства. Даже жалко заливать бетоном.

разные задачи

Теперь вопрос: как заливать? Бетономешалка туда не пройдет. Между домом и забором — полтора метра.

— Не переживайте, хозяйка, — успокаивает Колька. — Это моя проблема.

У него не может быть своих проблем отдельно от моих. Это наша общая проблема.

Я выхожу из дома в восемь утра и вижу перед собой толпу работяг, человек тридцать. Они все одинаковые, как китайцы, одного мелкого роста, в одинаковых темных рабочих одеждах.

Я догадалась, что это — Колькин отряд, который он привез из своего села. Они рассеяны по разным объектам, а сейчас Колька собрал их воедино.

Колька, как оказалось, мощный менеджер, предприниматель. Без него вся эта команда — нищий сброд, тяготеющий к бутылке. А с ним — созидающая сила. Они работают теплый сезон (полгода) и уезжают домой, и после них вырастают дома, а в домах родятся дети. Жизнь.

Отряд ждет бетономешалку. Они вооружены носилками для переноса цемента. Стоят молчаливые, сосредоточенные, как перед атакой.

Непосредственно для бетона сбито огромное корыто — емкость из досок. Доски взяли в моем сарае.

Подошла бетономешалка, вывалила из своего чрева десять кубов бетона, а может, и двадцать.

Наступает напряженный и ответственный момент. Бетон твердеет очень быстро, и задача отряда — моментально перетаскать его по назначению. Каждая секунда на учете.

Не было ни суматохи, ни толчеи. Все пятнадцать пар с полными носилками потекли цепочкой, как муравьи. Туда — обратно. Туда — обратно. Опрокидывали в траншею полные носилки, возвращались за следующей порцией. Молча, слаженно, как кордебалет. Колька — главный хореограф.

Через час корыто было пусто. Фундамент залит.

На другой день фундамент застыл намертво, стоял прочно, как скала, и отсвечивал сизым блеском, как голубиное крыло. Это значило, что цемент нужной марки, нужной крепости. Он будет стоять сто лет и двести и не подвергнется энтропии.

Колька назвал цену на тридцать процентов дороже, чем договаривались. Но я смолчала. Я уважаю хорошую работу. Деньги — это бумага. А фундамент — это основание дома. Деньги можно заработать, а фундамент повторить нельзя.

В середине рабочего дня — перерыв на обед. Готовила жена Кольки Люся, сдобная, как калорийная булочка. Продукты закупал Колька.

Ели рабочие одно и то же: суп из куриных окорочков. В тарелку выдавливали майонез. Так каждый день.

Мясо Колька не давал. Экономия средств. Я видела, что его жадность не имеет границ, но не вмешивалась. Это не моя территория.

Однако, чтобы оживить трапезу, я выдавала каждый день бутылку водки. Рабочие ждали молча. Не благодарили. Принимали как должное. Но я и не ждала благодарности. Это я была им благодарна за то, что они улучшают мою жизнь.

У бригады довольно часто случались церковные праздники, и тогда они не выходили на работу.

Я уважаю людей, которые уважают свою веру. И даже сверхжадный Колька допускал паузы в своей тотальной эксплуатации человека человеком.

Однажды случился праздник и у меня. День рождения. Все-таки — это праздник. Могла ведь и не родиться или родиться другой.

Я купила мяса для шашлыков. Рабочие сделали все остальное: замариновали, зажарили. Потом окружили меня и спели «Многие лета». Пели хорошо. Стояли радостные, как дети. Не зашуганные рабы, а сильные люди с ясными лицами, чистыми душами, жаждой счастья. Солнце для всех одно, и небо одно. И многая лета.

Стены выросли быстро, буквально за неделю. Подошла очередь отопления. Это очень серьезная позиция. Отопление и освещение — главные составляющие. Надо чтобы в доме было тепло и светло.

У меня были свои водопроводчики, которые обслуживали поселок, — Кеша и Паша. Молодые, довольно красивые и цивилизованные люди, которых не надо перепроверять. Они не забыли, что есть такое понятие: рабочая гордость.

Я их уважала. Они это чувствовали и ходили ко мне с удовольствием. Приятно ведь приходить в дом, где тобой восхищаются.

Я решила пригласить Пашу и Кешу, но Колька обиделся.

— Не доверяешь, хозяйка? — спросил он.

— У меня есть проверенные, — объяснила я.

— У нас Андрей — сварщик высшего разряда.

— А сделает?

— А чего там делать? Там и делать особенно нечего.

Я подумала: может быть, действительно работа не сложная...

Андрей явился в назначенный день. Стояло ясное утро. Все-таки лето в Подмосковье — это рай.

разные задачи

Отопление основного дома размещалось в котельной. Там находился котел с трубами, и от этих труб надо было взять тепло в пристройку.

Я подошла к котельной. Мне навстречу качнулся Андрей. Его лицо было смущенным.

— Хозяйка, я тут у тебя ящик водки нашел, — поделился он.

— И чего?

— Я взял две бутылки.

— А куда ты их дел? — не поняла я.

— Так выпил.

— А как же ты теперь будешь работать? — испугалась я.

Водки мне было не жаль. Пей, хоть залейся. Но отопление… Я никуда не ушла от котельной. Стала наблюдать.

Андрей сел на трубу верхом. Приставил к ней сварочную дрель. Включил. Дрель затарахтела и соскочила.

— Фу, твою мать, — отреагировал Андрей.

Снова поставил дрель на трубу. Включил. Она затарахтела и соскочила в другую сторону.

— Фу, мать твою… — буркнул Андрей.

Я видела, что он сейчас продырявит трубу и случится потоп.

— Так, слезай с трубы, — велела я. — Иди отсюда. Я снимаю тебя с работы.

Андрей послушно слез, вышел из котельной. Солнце ласково светило ему в лицо.

Андрей был вполне симпатичный, артистичный мужик. Любил показывать Брежнева. Хотел нравиться.

Сейчас, в данную минуту, ему было благостно и хорошо. Кровь, сдобренная большой порцией алкоголя, бодрила и весело бежала по его внутренним трубам.

— Работать не смей! — приказала я.

Но Андрей и не собирался. Он хотел прилечь и отдохнуть.

Ко мне подошел Колька.

— Надо купить эмульсионку, — обозначил он.

Мы сели в его машину и отправились на базар.

Я любила покупать сама, поскольку Колька предпочитал самый дешевый товар, а деньги брал как за самый дорогой. Имело место несоответствие цены и качества. Колька хотел обвести меня вокруг пальца.

Я видела эти уловки и прыжки и не давала Кольке обвести себя вокруг его кургузого хохлацкого пальца. Просто садилась в машину, ехала на базар, сама выбирала, сама платила.

Мы двигались молча. За рулем сидел Колькин сын — продолжатель кулацкой династии. Я — рядом. Колька — сзади. Он был недоволен моим присутствием. Я тормозила его устремления к наживе. Но ничего. Потерпит.

— Я сняла Андрея с работы, — сообщила я Кольке. — Он с утра нажрался. Я ему не доверяю. Я позову своих водопроводчиков.

разные задачи

Колька не ответил. Молчал всю дорогу.

Подъехали к строительному рынку. Вышли из машины. Колька остался сидеть. У него был такой вид, как будто ему сообщили о смерти родной матери. Он буквально не мог подняться.

Я даже удивилась: неужели отставка Андрея такое большое несчастье? Или у Кольки есть какая-то другая причина?

Я решила не задавать вопросы, не лезть в душу. Захочет — скажет сам.

На другой день явились Паша и Кеша, посмотрели на результат труда Андрея. Он уже успел внести свой трудовой вклад.

— Что будем делать: сопли за ними подбирать или все заново? — спросил Паша.

— Все заново, — сказала я.

Паша и Кеша подобрали с пола китайские шланги и отнесли их к помойному баку. На выброс. Китайская продукция ненадежная.

Мои специалисты купили новые немецкие шланги, все необходимые переходники и насосы, тоже немецкие, высшего качества.

Работали с утра до вечера. Закончили за один день.

Не люди — боги. В моей душе пели фанфары. Ода к радости.

Водоснабжение было не только надежным, но и красивым. Все-таки красота имеет смысл во всем, даже в разводе труб. Даже тогда, когда трубы скрыты и их не видно. Все равно я знаю, что под досками пола или под кафельной плиткой проходит грамотная красивая разводка.

Паша и Кеша закончили работу и ушли. Я заплатила им две тысячи долларов. Колька хотел столько же.

На родине Кольки две тысячи долларов — это состояние. Клад Али-Бабы. На эти деньги можно жить год. Но деньги проплыли мимо Колькиного рта, в непосредственной близости.

На другой день я не сразу увидела Андрея, а когда увидела — не узнала. Он был смят и сломан, как машина после аварии, не подлежащая восстановлению.

Васька сообщил мне по секрету, что вчера Колька избил Андрея. Он бил его сначала руками, а потом ногами. Рабочие едва оттащили Кольку от Андрея, боялись смертоубийства.

Оказывается, Андрей — алкоголик. Колька не хотел брать его в бригаду, но пришла жена Андрея и просила-умоляла. Андрей тоже клялся-божился, что не развяжет. Колька пошел на риск. Риск себя не оправдал. Колька взбесился не оттого, что Андрей не сдержал слова. Моральный облик Андрея его не волновал. Колька потерпел материальный ущерб, и весьма существенный. За такие деньги он готов был убить Андрея и не сделал этого только потому, что боялся тюрьмы. В тюрьме хуже, чем у себя дома.

Предстояла внутренняя отделка. Колька ходил злой и напряженный, как бык. Густо матерился. Благостность с него сошла.

Андрея поставили на тяжелую работу: вручную делать бетон.

Он сыпал в корыто цемент, песок, лил воду и тяжело размешивал лопатой, создавая нужную консистенцию. На меня он не глядел. Обиделся. А может, презирал. В сущности, что произошло? Он мог бы скрыть две бутылки водки, никто бы и не узнал. Но Андрей, как честный, порядочный человек, сознался мне в своем поступке. А я его заложила. Выдала.

Кто я после этого? Законченная сволочь. Стукачка. А еще притворяюсь культурной.

Как говорил алкоголик Федул в фильме «Афоня», «от, не люблю я таких людей». Андрей был с ним солидарен. Не любит он интеллигентов, которые равнодушны ко всему, кроме своих интересов.

У меня есть подруга молодости Инночка. До перестройки она служила в научно-исследовательском институте, а потом перешла работать в еврейский благотворительный фонд. Там неплохо платили, лучше, чем на прежней работе.

Задача фонда: помогать старым и одиноким евреям, оставшимся без всякой поддержки.

На религиозный праздник под названием Ханука выносили ханукию — подсвечник для девяти свечей. Устанавливали перед зданием. Это было довольно высокое сооружение в человеческий рост, сделанное из дерева или из меди.

Каждый день положено зажигать по свече. Сначала горела одна, потом две. До третьей свечи дело не доходило, потому что являлись ребята из общества «Память» и ломали ханукию. И раскидывали в разные стороны.

На следующий день выходили евреи и все ставили на прежнее место и снова зажигали свечи.

К вечеру появлялись ребята из «Памяти» и ломали ханукию. И затаптывали свечи.

Наутро евреи восстанавливали все как было.

К вечеру являлись ребята из общества «Память» — и так далее, по схеме.

Раввин предложил перенести ханукию в другое место и укрепить основание.

Инночка подошла к раввину и сказала:

— Какой смысл делать то, что будет разрушено?

Раввин погладил свою бороду — она у него жидкая и всегда чисто, до блеска промытая. И произнес:

разные задачи

— Деточка, дело в том, что у нас разные задачи. Наша задача — поставить ханукию. А их задача — сломать. Каждый должен заниматься своим делом...

Я стала осмыслять слова раввина. В самом деле, в моем случае у всех были разные задачи.

Моя задача — комната.

Задача Кольки — прибыль.

Задача Андрея — выпить. В его случае это — не распущенность. Это зависимость, которая управляет человеком.

Задача Андрея вошла в противоречие с моей задачей. И с Колькиной.

Базовые вопросы бытия: «кто виноват?» и «что делать?» — по-прежнему повисают без ответа.

Кто виноват? Никто.

Что делать? Ничего.

кругом один обман

Когда Таточка родилась, сразу стало видно, что она — красавица. С первой секунды. Овальный лобик, готовые бровки и реснички.

Ребенка показали маме Тане. Мама посмотрела и воскликнула: «Красавица!»

Акушерка была усталая. Она знала, что все новорожденные на одно лицо — одутловатые от усилия. Им пришлось проделать нелегкий путь до своего первого крика, и непонятно, почему они кричат: от радости или от ужаса.

Акушерка повела глазами в сторону нового человечка и удивилась: «Правда красавица».

Назвали Наташа, сокращенно Таточка. Тата, Татуся, Туся.

Взяли няньку Анюту. Анюта приехала из деревни. Своей семьи у нее не было, специальности тоже не было никакой. Дом мамы

Тани стал для нее всем: и семьей и специальностью.

Таточку Анюта обожала до дрожи. Не давала ей пикнуть, не спускала с рук.

Девочка росла, становилась тяжелая, как кабанчик, но Анюта терпела нагрузку.

Таточка восседала на ее руках, запускала свои пальчики под платок Анюты, вытаскивала волосы и с удовольствием их драла.

— Ах ты цапатиха! — восхищалась Анюта. (Цапатиха — производное от глагола «цапать».)

— Вы ей все разрешаете, — упрекал папа Сева. — Ребенок должен знать границы.

— Ее не надо дражнить, — возражала Анюта. — Надо, чтобы все по-ейному было.

Таточка любила поесть. Ее щечки стали тугими и блестящими, как яблочко. Картофельное пюре она называла «ае», «до свидания» произносила «аяне», и все в таком роде.

Мама Таня и папа Сева обожали свою дочку, смотрели на нее блестящими от восторга глазами. Папа звал «кисечка», мама звала «кукуся», и в этих звуках Таточка ловила музыку любви. Ее никогда не наказывали, не ругали и, конечно же, не били, не дай бог.

Таточка подросла. Ее стали фотографировать. На фотографиях торчали два больших глаза, а в глазах как будто горели лампочки. Эти лампочки кто-то зажег. Видимо, тот, кто распоряжается всеми судьбами.

Таточка привыкла к тому, что на нее все и всегда смотрят с восторгом и, встречая новое лицо, ждала новых восторгов и смотрела с улыбкой. Она не предвидела от человеков никаких подвохов. Ото всех исходило только добро, только тепло, каждый готов был протянуть конфетку или цветочек. Мир состоял из доброты и ласки.

Таточка превратилась в подростка.

Решили отправить ее на лето в пионерский лагерь, чтобы привыкала к самостоятельности. В лагере она была на общих основаниях, как все. Никто не восторгался, не делал никаких поблажек. Надо было рано вскакивать, бежать на зарядку. Потом на линейку. Потом на завтрак. Тата была одна из многих. Это оказалось непривычно и совершенно невыносимо.

В родительский день приезжали папа и мама. Привозили фрукты и сладости.

Мама спрашивала:

— Ну как?

— Ласки не хватает, — жаловалась Тата.

Родители уводили ее в лесок на полянку и ласкали, гладили по головке, целовали ручки, плечики, личико. Пополняли недостающую ласку. Потом отводили дочку обратно в лагерь. Она уходила. Головка на тонкой шейке. Родители смотрели ей вслед с чувством вины: сбагрили ребенка, чтобы освободить себя. Отослали на тоску и безвременье.

В лагере были свои радости. Однажды Таточка с подружками отправились погулять, и их застал дождь. Бежали под дождем. И это оказалось весело и волшебно.

Ворвались в палату. Тата шлепнулась на свою кровать, с волос на лицо стекала вода, и вдруг она ощутила приступ счастья.

Казалось бы, что особенного? Убежали от дождя, шлепнулись на свои кровати, капли дождя на лице... Что произошло? А произошло счастье. Откуда оно? Из глубины ее тела. Может быть, из сердца, или из солнечного сплетения, или еще ниже... Но нет. Сверху. Озарение.

— Счастье... — проговорила Тата.

Девчонки посмотрели на нее с недоумением. Не поняли. Ну и не надо. Они — это они. А ее буквально обожгло радостью жизни. В недалеком будущем ее поджидала любовь, и эта любовь сквозь дождь посылала ей свои сигналы.

В семнадцать лет Тата поступила в университет на журналистику.

Папа Сева был недоволен, он считал, что журналистом может стать любой, для этого необязательно учиться. А мама Таня имела свое мнение, говорила:

— Главное — диплом, все равно какой. Для девочки важна не карьера, а семья.

Вокруг Татуси закипели женихи. Лидировал Сашка Пуришкевич — красавец и спортсмен.

К нему все приставали с вопросом:

— За что твой предок убил Распутина?

— Это другой Пуришкевич, — оправдывался Сашка. — Просто однофамилец. Мои предки — поляки, обедневшие дворяне, а тот Пуришкевич — из Бессарабии, монархист и черносотенец.

Сашку оставляли в покое, но ненадолго. Все девчонки мечтали о Сашке, но он выбрал Тату. Красиво ухаживал. Не лез. Приглашал на фортепианные концерты в консерваторию. Скучища порядочная. Тата сидела в кресле, слушала, как седой пианист барабанит по клавишам, и думала о своем. Под музыку хорошо думается.

В перерыве ходили по фойе. Однажды поравнялись с туалетной комнатой. Сашка спросил: «Тебе не надо?» Ей было надо, но почему-то стыдно сознаться. Тата отрицательно помотала головой. Ей казалось, что неприлично исторгать из себя отходы жизнедеятельности. Девочка должна быть как Дюймовочка: жить в цветке, пить росу и никогда не приближаться к унитазу, еще чего...

Однажды Сашка пришел к ней в гости, когда родителей не было дома. Затеял какую-то игру, и Тата случайно попала в кольцо его рук. Они поцеловались. Тата услышала стук его сердца, как молот по наковальне: тук-тук-тук...

В этот момент вернулась мама Таня и увидела их лица в красных пятнах румянца с никаким выражением. Они оба были ошарашены землетрясением внутри их организма.

— Что с вами? — не поняла мама. Потом, конечно, догадалась, но ничего не сказала. А что тут скажешь?

После этого случая стали целоваться постоянно. Поцелуи были долгими, длительными, невозможно отлепиться друг от друга.

Решили пожениться, чтобы не отлепляться. Родители не возражали. Сашка был из хорошей семьи, богатой или не очень — понять нельзя, поскольку предки были обедневшие дворяне, ничего не оставили. В те времена, в середине XX века, все жили примерно одинаково: ели одинаково и одевались тоже одинаково. Ели докторскую колбасу за два двадцать. Одевались в болгарские дубленки. Жили весело. Человек человеку друг. Политикой не заморачивались. Какой смысл? Все равно ничего не изменится. Казалось, что социализм — вечен. Он есть и будет всегда. Доходили слухи об инакомыслии, появилось слово «диссидент», в переводе — «другая идея». Но по мнению Таты, инакомыслие посещало бездельников, а нормальные люди пишут диссертации.

Сашка заканчивал Институт стали, его будущее — НИИ или КБ. Научно-исследовательский институт или конструкторское бюро. Будет инженер-конструктор, сто восемьдесят рублей в месяц, после кандидатской — двести сорок. Однако главная радость — спорт. Ждали весны и лета, потом высаживались в лодки и — вперед! Мышцы пели от радости, плечи и грудь становились бугристые. Майку снимет — Аполлон. Девчонки обмирают. И опять же в здоровом теле — здоровый дух. Зачем выходить на Красную площадь с протестом, когда можно отправиться на соревнование и победить? И стоять на пьедестале.

Тата ценила только любовь. Как Анна Каренина. Она не слезала с Сашкиных колен, пила его энергию.

В это время в квартире работала малярша Валька, меняла обои. Она с завистью смотрела на молодых и говорила маме Тане: «Хорошее время было в войну. Ох я наеблась…»

После войны мужчин не хватало, и хорошее время осталось в прошлом.

Девственность Тата потеряла перед самой свадьбой. В дневное время, когда все были на работе. Действие происходило в родительской постели.

В самый ответственный момент дверь отворилась и вошла малярша с рулонами обоев. Не нарочно и не из любопытства.

Просто она закончила коридор и переместилась в спальню.

Тата испугалась и крикнула: «Атас!» Святая минута была поругана. Но ничего. Впереди — море этих святых минут.

Свадьбу справляли дома. В те времена рестораны были не приняты в их инженерских кругах. Дорого.

Запомнился один неприятный момент: мать резко открыла дверь в другую комнату, а за дверью стояла Анюта, и ей попало в бок. Она вся перегнулась от боли, лицо страдальчески скрючилось, и это лицо отпечаталось в памяти Татуси. Татуся успела подумать: дурной знак. Ей стало на секунду грустно, но только на секунду.

Столы были сдвинуты и ломились от еды: гусь с тушеной капустой, треска в пурпурном томате, холодец со звездочками моркови и кружками крутых яиц, салат оливье, селедка под шубой, печеночный паштет, домашние маринады... Ничего особенного, но каждое блюдо — кулинарный шедевр. И эта еда навсегда осталась самой любимой и превосходила любые деликатесы, которые вошли в жизнь вместе с переменой строя.

Диссиденты добились своего. Повалили социализм. Поменяли на капитализм. Возникла благородная красная рыба — семга и форель, парное мясо взамен перемороженного. И все равно Тата предпочитала пролетарскую треску и холестериновый холодец, очень вредный для здоровья.

Столы накрывала мама Таня с верной подругой тетей Тосей. Они корячились и уродовались три дня.

Все гости пришли вовремя, кроме Сашкиных родителей. Сашкина мамаша — королева красоты, наводила марафет и опоздала на два часа.

Голодные гости как волки изнывали возле стола и наполнялись ненавистью к невоспитанным родителям. Когда дверь открылась и пани Ядвига возникла как колонна, с глазами до ушей, действительно очень красивая, образовалась предгрозовая тишина, и мама Таня четко проговорила: «Не уважая других, вы не уважаете себя».

Красивое лицо пани покривело и потеряло всю красоту. Праздник был подпорчен, но скоро восстановился. Гости ринулись за стол, стали вдохновенно пожирать, опустошать, разрушать красоту сервировки.

В конце праздника Сашка пошел в туалет, уселся на толчок и заснул. И больше никто не мог попасть в туалет. Пришлось ломать дверь и снимать Сашку с голым задом.

Но все это осталось в прошлом. Голый зад постарались забыть. Время смывает и не такие события.

Родился сыночек Филипп.

Удобно было называть «Филечка», но свекровь настаивала на произношении полного имени, поскольку Филипп — это король, а Филя — крепостной, батрак, половой.

Тата придумала ему имя Фуфа.

У Фуфы были большие круглые глаза и пышный рот. Глазастый и губастый. Прозрачные слюнки, как у верблюжонка.

Тата целовала его в мокрую мордочку, задыхалась от любви. Обмирала. Вся любовь без остатка принадлежала Фуфе, ни грамма не оставалось на окружающих, даже на родителей.

Жили отдельно, слава богу.

Однажды мама Таня пришла к Тате, ей захотелось проявить заботу. Она купила живых карпов и стала готовить фаршированную рыбу. Этому блюду она научилась в еврейской семье своего мужа и готовила лучше, чем сами евреи.

Тата воспользовалась присутствием мамы Тани и куда-то отлучилась на пару часов.

Вернулась. Фуфа был жив-здоров и весел. Она взяла его на руки. Фуфа уже держал головку, их лица были на одном уровне. Неожиданно Фуфа рыгнул, и Тату обдало рыбой, луком и перцем. Это значит, его, восьмимесячного ребенка, который питался только материнским молоком и молочными смесями, накормили фаршированным карпом.

Тата ужаснулась, вошла в кухню с ребенком на руках. Мама Таня стояла с невинным лицом — верный признак того, что нашкодила и скрывала шкоду.

— Ты зачем кормила его рыбой? — прошипела Тата. — Ты хочешь, чтобы он умер?

— Я не кормила. Он сам отобрал.

Оказалось, мама Таня держала Фуфу на руках и пробовала с тарелки рыбу, а Фуфа развернул ее пальцы к своему рту и отведал. И ему очень понравилось. И бабушка положила мальчику целый кусок, и Фуфа сожрал с превеликим удовольствием. И ничего не случилось. Никто не умер. Тата поняла, что ребенка пора прикармливать чем-то существенным.

Был еще один незатейливый случай.

Филипку исполнилось два года. Он ловко ползал на коленях и на руках, как маленькая рептилия.

Мама Таня пришла навестить дочку и внука и, как всегда, стала улучшать их жизнь. Если не фаршированная рыба, то генеральная уборка. Ее любовь проявлялась в действии. Просто сидеть и умильно смотреть на красавчика-внука или делать ему «козу» — не в характере мамы Тани. Любовь проявляется в поступке. А поступок — это генеральная уборка: вымыть окна, выстирать занавески, пропылесосить ковры и диваны. Если надо, побелить потолок.

Можно было нанять уборщицу, ту же малярشу Валю. Но мама Таня никому не доверяла. Она считала, что кругом один обман и по-настоящему человек старается только для себя, для своих близких. А для чужих хочется нахалтурить и взять в два раза больше. Миром правит жадность. Поменьше сделать и побольше взять.

Тата так не считала. Она привыкла к любви окружающих, к добру, к Сашиному смеху. Саша был оптимист. Не любил зацикливаться. Он жил с удовольствием: смеялся во весь рот, ел с аппетитом. Любил поесть вкусно, но мог насытиться чем угодно — хлебом, например, заедая его луком, гречневой кашей, картошкой в мундире. Легкий был человек.

Саша любил свою греблю, любил воду, любил побеждать. Но и проигрывать тоже умел. Без этого не бывает спорта.

Однако вернемся к маме Тане. Она принялась за уборку, не учитывая хозяев в доме. Всех разогнала по углам и принялась мыть окна. По дому гуляли сквозняки. Холодно, неуютно. Как война.

Внезапно Тата ощутила непривычную тишину. Филипок, как правило, ползал под ногами, что-то требовал, орал, наполняя собой дом. А тут — тишина. Как говорят болгары, «страшната тишина». Не просто тихо, а зловеще тихо.

Тата заметалась по квартире, заглядывая во все комнаты.

Заглянула в спальню. Окно было раскрыто настежь — обе створки. К раскрытому окну подвинуто кресло вплотную к подоконнику. На кресле комом лежит одеяло, сверху подушка — вровень с подоконником. А дальше распахнутое окно — ворота в вечность. Если ребенок заберется на кресло, он просто не заметит, как выползет в открытое окно.

Тата застыла как парализованная. Надо подойти к окну и выглянуть. Возможно, Филипок уже лежит внизу на земле. Он уже выпал с девятого этажа, и внизу уже толпа народа.

Тата не могла двинуться с места. Ее родная мать создала аварийную ситуацию. Преступная халатность. Зачем была нужна эта ее генеральная уборка? И что будет с самой мамой Таней? Она не справится с трагедией и сама выкинется в окно следом за внуком... За спиной Таты была еще комната, куда она не заглядывала. Последняя комната плюс туалет и ванная.

Прежде чем идти к подоконнику и смотреть вниз, Тата заглянула в ванную. Пусто. Туалет — пусто.

Последняя комната...

Фуфа тихонечко сидел на стуле перед письменным столом и раскручивал на винтики ее пишущую машинку. Он делал это торопливо, сосредоточенно, боялся, что взрослые прервут такое интересное занятие.

Филипок был жив, здоров. Заинтересован. Все обошлось.

Но не обошлось. Тата на какое-то время, может быть на полдня, сошла с ума. Воображение пошло работать по ложной программе. Ей казалось, что она выглянула в окно, увидела распростертое тельце в полосатой рубашечке. Она побежала вниз, не на лифте, а по лестнице с девятого этажа. Потом выбежала из подъезда, обогнула торец дома и приблизилась к своему мальчику. Подняла его с земли. Он повис на руках, как полотенце. Все его косточки были сломаны, и скелет не держал форму тела. Людей не было. И крови на ребенке тоже не было. Он просто сломался. И все внутренние органы оторвались со своего места.

Тата понесла сыночка домой. Вошла с ним в лифт. В лифте стоял один человек — сосед с третьего этажа Павел Константинович. Он посмотрел на Тату, на свисающего мальчика и удивленно спросил: «Что это?»

И тогда Тата закричала...

Эта картина постоянно прокручивалась в ней как ролик. Тата сидела на стуле с белым лицом, закрыв глаза.

Вошла мама Таня и спросила:

— Ты чего расселась? Могла бы помочь...

Тата завыла, как выпь. Не могла остановиться. Потом выгнала маму Таню домой.

Закрыла все окна, проверила все шпингалеты.

Мама Таня ушла, обидевшись. Какого черта? Она хотела навести порядок, а ей не дали, еще и выгнали и обозвали вдогонку.

После этого случая Тату стали преследовать страхи. Когда она оказывалась в метро, тут же себе представляла, что Фуфа упал с платформы на рельсы. Если мылась в финской бане, смотрела на раскаленные камни, и ей представлялось, что Фуфу бросают на эти камни и его тельце шипит, обгорая.

Пошла к врачу. Врач сказал: все нормально. Это подсознание выталкивает страхи. Это просто материнская любовь.

Любовь выстраивала такие вот гримасы. А в остальном жили хорошо, весело.

Тата работала журналисткой в газете, бегала по интервью с интересными людьми. Когда попадалась личность сложная и капризная, посылали Тату.

Она являлась пред светлы очи — юная, улыбчивая, с глазами как вишни. Вокруг нее светлело. Капризная личность спрашивала:

— Сколько тебе лет?

Тата отвечала:

— Двадцать пять, а что?

— Ничего. Какая ты милая…

И это правда. Она была милая, ясная, понятная и чистая, как капля росы.

кругом один обман

Однажды Тату послали к писателю Метелкину. Метелкин находился в это время в Доме творчества «Малеевка», и пришлось тащиться в эту самую Малеевку к черту на рога.

Метелкин был шумно знаменит, по-настоящему талантлив. Газета была заинтересована в интервью.

Тата подготовила вопросы, спрашивала умно и профессионально.

Через какое-то время, примерно через полчаса, Метелкин полез с поцелуями. Он был не просто противный, а очень противный: немолодой, обрюзгший, лысый, со слабой порослью над ушами. Однако талантлив космически. Тате неудобно было ему противоречить, она боялась, что может сорваться интервью. Пришлось пойти навстречу пожеланиям трудящихся. Метелкин, без сомнения, принадлежал к этой категории. Он трудился каждый день. Из-под его пера выходили толстые книги с божественным текстом. Метелкин рассказал, уже в постели, как недавно выступал перед студентами МГУ. Он вошел в зал вместе с поэтом Евтушенко. Зал встал.

— Приятно? — спросил себя Метелкин. И сам себе ответил: — Приятно, и нечего пердеть.

Вот это «нечего пердеть» запомнилось на всю жизнь. А больше не запомнилось ничего. Тата обратила внимание, что пенис у Метелкина величиной с наперсток. Темперамент —

нуль. Зачем, спрашивается, полез? Зачем она уступила?

После соития, если можно так назвать, Метелкин поднялся и вышел из номера, мелькая бледным задом. Должно быть, отправился в туалет. Тата села на кровати. На улице стемнело, и она увидела свое отражение в окне. Высокая шея, молодые плечи, маленькие груди — красиво. Но что она здесь делает? Это была ее первая измена. В голове пронеслось: «Какой ужас».

Она не изменила мужу. Она просто отдала должное большому таланту. Метелкин дарит свой талант всему человечеству, значит, и человечество ему что-то должно. Тата заплатила за человечество. Она как бы и не виновата. И все же…

Больше она с Метелкиным не встречалась. И он вскоре умер как-то незаметно. Спился, должно быть.

Его быстро забыли. Он почти не остался в литературе. Прогорел, как факел, и потух бесславно. Непонятно, почему одних помнят, а других нет.

Тата и Сашка жили хорошо. Весело и дружно.

Мелкие измены только укрепляли семью. Нет никого прекраснее, чем немножко виноватая жена. Она становится легкой, сговорчивой, всепрощающей.

Приходили гости. Саша любил гостей. В основном это были товарищи по спортивной гребле с женами или подругами. Либо сослуживцы.

Чаще других заявлялись Лежанские — Слава и Галя. Галя, с низким лбом, практически без лба, с грубым крестьянским лицом и дурными манерами, не нравилась Тате. Тата называла ее «Лежанкина», хотя Галя была Лежанская.

Галя — детдомовская, откуда воспитание? Но у нее была замечательная черта: приходила в гости с пирогами, которые пекла собственноручно. Пироги — с мясом, с яблоками и с капустой — всегда были кстати, очень украшали стол и Галю, компенсируя ее недостатки.

Тата печь не умела, но зато умела смеяться. Ее смех — звонкий, заливистый, прозрачный, как родниковая вода, — звенел до потолка и вырывался в форточку. Люди внизу останавливались и поднимали голову. Где это так смеются? Кому это так хорошо? Под такой смех хотелось жить и любить.

Тата охотно смеялась по многим поводам. Жизнь всегда дает повод посмеяться. Исключение составляют несколько позиций: смерть, унижение, да и то…

Галя Лежанская считала, что смех без причины — признак дурачины. Она не позволяла себе хохотать в полный рот, а только усмехалась краешком губ. Строила из себя умную.

Детей у Лежанских не было. Галя объясняла это тем, что вначале надо выстроить карьеру, а потом уже заводить потомство. Рожать могут все — и кошки, и собаки, и даже куры. А вот написать кандидатскую диссертацию — удел избранных.

Тата пожимала плечами. Кому нужна эта диссертация? Кто ее будет читать? «Когда-нибудь монах трудолюбивый найдет мой труд усердный, безымянный…» Ради монаха корячиться. А тут — ребенок, такой родной, такой сладкий, в нем весь смысл жизни и даже смысл смерти. Бессмертие. После тебя он понесет в жизнь твои гены.

Тата подозревала, что Галя просто бесплодна, как огурец-пустоцвет. Вот и прячется за слова.

Короче, Тата и Галя не любили друг друга и терпели совместные застолья исключительно ради мужской дружбы. Саша и Слава дружили вплотную, им было интересно вместе. Было бы жестоко их растащить. И зачем?

Дни нанизывались один на другой. Для молодых жизнь двигалась медленно. В двадцать лет — человек молодой. Через десять лет (в тридцать) снова молодой. И в сорок молодой. Мало что меняется вокруг. А для стариков жизнь бежит стремительно. Маме

Тане исполнилось семьдесят. Силы и интерес к жизни уходили. Как будто вернулась с бала и сказала: «Все!» И сняла с себя выходной наряд. Переоделась в ночную рубашку.

Мама Таня приняла решение: переписать дачу на свою дочь. Тата и так пользовалась дачей, но, получив в собственность, развернула бурную деятельность.

Чувство собственности — великое чувство. Большевики отшибали это чувство почти сто лет, проповедовали: общественное выше личного.

Как говорила Васса Железнова, «наше — это ничье. Мое!». «Мое» правит миром. Мой мужчина. Мой кошелек. Мой дом.

Тата страстно полюбила дачу — добротную, большую. Низ — кирпичный, верх — из бруса. Наверху три спальни, в дереве хорошо спать. Легче дышится.

На первом этаже Тата выровняла стены, покрасила их шведской эмульсионной краской, поменяла отопление. Развесила живопись. Получилась Швейцария, пять звезд.

Тата устремлялась на дачу каждые выходные и, входя в дом, тут же начинала отдыхать. С нее как будто стекала вся усталость, накопленная за неделю.

По вечерам зажигали камин и смотрели на огонь, как первобытные люди. Огонь завораживал. Так бы и сидели и смотрели.

Фуфа с родителями не ездил. Он уже вырос. Шестнадцать лет. С родителями ему было скучно, и он норовил приезжать среди недели с друзьями и подружками. После их посещений оставались горы немытой посуды, по которой шастали мыши-полевки. Противно, но ничего не поделаешь. Не скажешь ведь Фуфе: не будь молодым.

Тата надевала передник и приводила дом в порядок. Срабатывали гены мамы Тани. Как она могла проявить свою любовь к ребенку? Только смирением и безмолвным обслуживанием.

Фуфа видоизменился. Из беленького ребенка он превратился в темно-русого тинейджера. Круглое личико вытянулось и стало продолговатым. Нос выдвинулся вперед, но это хорошо. Тате нравились крупные носы на мужчинах. В детстве Фуфа был вылитый Саша, а теперь стал походить на мать. Но все это не имело никакого значения. Для Таты Фуфа был ее сын, неповторимый и единственный. И как бы он ни выглядел, что бы ни вытворял — все равно оставался светом в окне и смыслом жизни.

Тата обратила внимание: возле Филиппа постоянно присутствовала одноклассница Света — круглолицая, мелкоглазая.

— Почему она возле тебя топчется? — спросила Тата.

— А что? — не понял Филипп. — Тебе она не нравится?

— Жопа на спине, — неопределенно ответила Тата.

— Жопа на месте, — возразил Филипп.

Это значило: не лезь куда не просят.

По выходным приезжали Лежанские. Вместе жарили шашлыки.

Идиотка Галя все никак не могла развязаться с диссертацией. Сначала защитила кандидатскую, теперь корпела над докторской. А результат? Получать на двадцать рублей больше.

Фуфа окончил десятый класс, получил аттестат зрелости и стал отцом.

В результате дачных посещений Света забеременела и благополучно родила девочку.

Фуфа долго скрывал этот позорный факт, но все тайное стало явным.

Жениться Фуфа не захотел. Да и какой из него муж? Прозрачные слюни не обсохли.

Тата ждала скандала и санкций от пострадавшей стороны, но ничего такого не последовало. Родители Светы — молодые, сорокалетние врачи — удочерили внучку, куда деваться... У них получилось двое детей: Света семнадцати лет и новорожденная Ляля. Большая разница в возрасте никого не смущала. Новый ребенок скрепил семью. То, что вначале казалось катастрофой, а именно ранняя беременность Светы, вылилось в свет, и радость, и благодатный дождь. И в самом деле: что плохого может быть в ребенке?

Жизнь стояла в середине, как солнце в зените.

Тата по-прежнему смеялась, и это притягивало к ней людей. По-прежнему любила Филиппа и жила его интересами. Ничего не предвещало беды. Но... Все может перевернуться за одну минуту.

У Филиппа обнаружили рак крови. Эта болезнь имела две формы: скоротечную и долгоиграющую. Филиппу досталась вторая. Врач сказал, что течение болезни будет состоять из обострений и ремиссий. Исход неблагоприятный. Из клещей рака еще никто не выскакивал.

Тата оказалась перед раскрытым настежь окном, куда выпал ее мальчик. Лететь вниз он будет долго. Он будет парить, неуклонно приближаясь к смерти. И разобьется в конце концов.

Тата ушла с работы. Они переехали с сыном на дачу, на свежий воздух.

В глубине души Тата надеялась на благоприятный исход. Свежий воздух, правильное питание, ее энергия любви — все это может сотворить чудеса.

кругом один обман

Тата перестала смеяться. Перестала выходить в люди, следить за театральными новинками. Гулять по дачному поселку предпочитала одна. Не хотела никого видеть и слышать. Все, что проистекало за пределами ее жизни, было совершенно неинтересно.

Люди сочувствовали ее горю, но Тата не верила в искренность произносимых слов. Посочувствовали, отошли и забыли.

Тата перестала справлять праздники. Какие праздники?

Филипп после школы поступил в сложный институт (МАИ), но завалил зачет и бросил.

Тата не настаивала. Институт трудный, большая нагрузка. А Филиппу надо выживать. Просто быть живым. Какая еще авиация?

Филипп слонялся по дачному поселку без дела. Начал попивать. Ходил по безлюдным аллеям — подвыпивший и праздный.

Дачники ехали на своих машинах и, глядя на Филиппа, говорили: «Это Филька Пуришкевич, праправнук Пуришкевича. Он скоро умрет». И проезжали мимо.

Саша появлялся только на выходные дни. Он работал в своем научно-исследовательском институте, что-то научно исследовал.

Приезжая на дачу, встречал Тату — хмурую, поседевшую. Лицо было буквально черным от постоянных дум.

Филипок — подвыпивший, никакой. У него ничего не болело, но ничего ему не светило. Его накрыло вселенское безразличие, слабость и горсть таблеток каждое утро.

Саша на даче не задерживался. Просто отмечался и отбывал в спортивный клуб. Там тренировочные залы, мышцы, гогот, запах пота, а летом — водоканал, небо, движение, воздух, вперед, еще вперед, подальше от несчастий, от бессмысленности жизни.

К Тате приходили мысли о самоубийстве. Легче не чувствовать ничего, чем плавиться в страданиях. Но кто останется с Филипком? Кто оттянет его от смерти? Кому он нужен? Да никому. Можно найти ту брошенную им Свету с ребенком, но зачем ребенку умирающий отец?

Тата нашла знахаря.

Седой мужик производил хорошее впечатление. Не жулик.

Знахарь сказал, что в этой болезни главное — нагрузки и разгрузки. Это значит, физические нагрузки: много ходить и мало есть. Буквально голодать. Тогда организм начнет питаться внутренними запасами и сожрет рак. Наступит самоизлечение.

Тата поверила и стала ходить с Фуфой на длительные прогулки. Они таскались по лесам и окрестным деревням, по тропинкам и бездорожью. Фуфа с трудом вытаскивал ноги из снега, изнемогал. Он садился на сваленное дерево и плакал. Тата плакала вместе с ним. Но гнала вперед и шла сама.

Первое время ели горсть овса, это была дневная норма. Как партизаны в окружении. Жизнь превратилась в настоящее испытание, но Тата верила: чем тяжелее преодоление, тем реальнее исцеление. Их страдания не будут напрасными. Они излечат ее сына.

Однажды проснулись утром и поняли, что кончились все силы — физические и моральные. Тата прозрела: знахарь — идиот и первопроходец. Открывает новые пути, ставит на несчастных свой эксперимент, заодно качает деньги.

Тата вернулась к здоровому образу жизни, надеясь на чудо. Но чуда не случилось. А случился конец.

Филипка похоронили.

После похорон — поминки. Галя Лежанская привезла пироги. Резала на кухне салаты.

Тата ни в чем не принимала участия. Она похудела на тридцать килограммов и была похожа на смерть с косой. Только косы не хватало.

Слава рассаживал гостей. Организация поминок была на Славе Лежанском.

Пришли те же, что всегда. Спортсмены и сослуживцы. Среди спортсменов — новые лица, молодые, розовощекие, с хорошим размахом плеч.

Сидели, поминали, не чокаясь. Поминать особенно было нечего. Короткая жизнь.

Пришла Света — бывшая любовь. Попрежнему некрасивая, просто молодая. И неприветливая. Она цепко смотрела по сторонам, оценивала молодых мужичков, сидящих за столом. Тате она не нравилась по-прежнему. А жаль. Хотелось зацепиться душой хоть за кого-нибудь.

Гости посидели с суровыми лицами, а потом постепенно как-то отвлеклись, развеселились и включили музыку.

Галя позволяла себе улыбаться не углом рта, а скалясь всеми тридцатью двумя зубами. Зубы были голубые — коронки из металлокерамики. Сквозь белую керамику просвечивал металл.

Тата вышла из-за стола и села на стул в углу комнаты. Никто не обратил внимания. Никто к ней не подошел.

Света со Славой Лежанским пошли танцевать. Слава вскидывал тощий кроличий зад. Света поводила руками и жопой на спине. К танцующим присоединились еще несколько пар. Стало тесно. Шумно. Люди забыли, зачем собрались. Тата смотрела на этот шабаш и думала: сволочи...

Правильно было бы всех выгнать, но протест требовал усилий и энергии. А энергия — на нуле. Тата ощущала себя вместе с Филей на том свете и оттуда, издалека, наблюдала за живыми. Они не нужны друг другу: живым не нужны мертвые и наоборот. Тата поднялась со стула и ушла на второй этаж.

Никто не воспринял этот уход как протест. Устал человек, пошел отдыхать. Нормально. А гости не устали. Им хотелось есть, пить, совокупляться. И все имелось в наличии: еда, алкоголь и женщины. Жизнь манила, и звала, и обещала. И хотелось мчаться с протянутой рукой, чтобы успеть ухватить.

Тата не стала ничего менять в комнате Филиппа. Все оставалось так же, как и при его жизни. Те же книги. Та же кружка на столе.

Тата не стала возвращаться на дачу. Осталась в городе.

Каждое утро приходила в комнату сына, как в церковь. И сидела там в его кресле. Смотрела. Думала. Погружалась. Филипп каким-то незримым образом пребывал рядом, в этой же комнате. Тата его чувствовала.

После смерти человек переходит в волновое состояние, и волны устремляются к родным людям.

Тата разговаривала с Филиппом, задавала вопросы. И ответы рождались сами собой. Общение было телепатическим.

Муж Саша решил, что Тата тронулась мозгами. Он мешал ей, требовал каких-то действий, уборки квартиры, например. Саша считал, что он возвращает Тату к привычной жизни. Но Тате хотелось только покоя и уединения.

Людям Тата была в тягость, а они в тягость ей.

Тата переехала на дачу. Она не была здесь несколько месяцев.

Перед крыльцом рос жасмин. Зима засыпала его белым. Красота. Покой. Природа. И нет людей. Нет чужого биополя, которое царапает твое биополе, как колючая проволока. Тата последнее время не могла переносить чужого присутствия. Ее никто не мог понять и утолить. Тата, как страждущий в пустыне, шла одна, среди песка. У людей своя жизнь, в которой, слава богу, не было катастроф. Так, мелкие неприятности типа нежелательной беременности, и несчастье Таты подчеркивало их благополучие. Она нужна была для контраста. Так что лучше подальше.

Тата вошла в дом. Дом был наполнен Филиппом, казалось, что он где-то здесь.

Тата поднялась на второй этаж. Там было тепло и обжито. Постель застлана, но смята.

Тата полезла в шкаф за ночной рубашкой, увидела на вешалках чужие вещи: платье, халат, спортивный костюм. Она узнала платье Гали — голубое с мелкими пуговицами. Что оно делает в ее шкафу?

Тата понюхала. Пахнет Галей, ее дешевыми духами, похожими на земляничное мыло.

Под подушкой лежала чужая ночная рубашка с тем же запахом. Все ясно: Галя здесь жила. Спала. Практически переехала. Тата вспомнила, как Галя хозяйничала на кухне во время поминок. Знала, где что лежит.

Значит, пока Тата боролась за жизнь сына, ходила километры, ела проросшее зерно, Саша в это время жил полной жизнью, не отказывая себе ни в чем. А когда Тата переехала в город — Саша обосновался на даче. Ни дня без строчки...

Тата сбежала на первый этаж к телефону. Захотелось поделиться своим открытием с Сашей, накрыть его правдой, как стрекозу сачком, послушать — что он скажет? Начнет трусливо отказываться. А вдруг нет? Вдруг сознается? Что хуже?

Зазвонил телефон.

— Привет, — сказали в трубке. — Это Гарик.

— Какой Гарик?

— Здрасьте. Забыла.

Это был Гарик из прошлой жизни. С университетских времен.

— Чего тебе? — спросила Тата.

— У вас там никто дачу не продает? — спросил Гарик. — Я десять лет снимаю дачу. Выкидываю деньги. Мог бы уже свою купить. Короче, никто не продает?

Тата молчала. Бог послал этого Гарика. А скорее всего, не Бог, а Филипп. Спасибо, сынок.

— Продает, — отозвалась Тата.

— Кто?

— Я.

— Почем?

— Сто тысяч рублей.

— Чего? Я сам столько не стою.

— Ты, может, и не стоишь. А дача — настоящая, помещичья. И полгектара земли.

— Я подумаю, — сказал Гарик.

— И я подумаю. Дай мне твой телефон.

Тата положила трубку.

Оделась и пошла на прогулку, вместе с Филиппом.

Филипп сказал: «Правильно. Обрубай канаты и уходи в плаванье».

Филипп говорил не голосом. У него не было голосовых связок. Общение было телепатическое, как с инопланетянином.

Тата исходила здесь всю округу и хорошо знала окрестности. Ноги привели ее в церковь.

Батюшка — молодой и толстый, смотрел на Тату ясным взором. У него было удивительно спокойное лицо.

— У меня умер молодой сын, — сказала Тата. — Почему? Где был твой Бог, который это допустил?

— Надо спрашивать не «почему», а «зачем».

«Глупости, — подумала Тата. — Какая разница: почему или зачем?»

В церкви перед иконами горели тонкие свечки. Пахло воском. Было душно. Довольно пусто.

Несколько одиноких старух, которым больше не на что надеяться, кроме как на Бога. Бог нужен слабым. А сильные рассчитывают на себя.

Тата вышла на свежий воздух. Стало ясно, что без дачи она не проживет. Если она продаст, то останется без свежего воздуха и без родового гнезда. А если оставит все как есть — надо будет делиться с Лежанкиной. При разводе Саша оттянет половину. А если развода не будет — придется жить во вранье и грязи. Самое отвратительное то, что Саша привел Лежанкину на их брачное ложе. Они прелюбодействовали не в гараже, не в парадном на подоконнике, а прямо в ее постели, на ее простынях. И как давно это продолжается?

Тата остановилась. Ее буквально ошпарило. Всегда. Все эти десять лет, которые Филипп болел и сражался за жизнь.

Тата вспомнила мажущие взгляды, которыми Саша обменивался с Лежанкиной еще на заре туманной юности, когда они собирались за праздничным столом. И эти пироги — не что иное, как подкармливание и приманка.

Решение найдено: она продаст дачу, но не полностью. Оставит себе одну комнату. Ей хватит. Таким образом она отсечет сладкую парочку и сохранит себе частичку родового гнезда.

Вечером позвонил Гарик:
— Я хочу с тобой поторговаться. Моя цена — семьдесят тысяч, тридцать процентов скидки. Тебе же приятно продать знакомым, а не кому попало. На даче будут жить порядочные люди, а не спекулянты, барыги поганые.
— Я готова продать за семьдесят тысяч при условии, что ты оставишь мне одну комнату на первом этаже.
— Я согласен, — с готовностью отозвался Гарик.
— Значит, договорились...

Тата ничего не сказала мужу. Да и некому говорить. Он уехал на какие-то сборы, то ли спортивные, то ли военные. Тата не поняла. Подозревала, что ни то ни другое. А третье. Сборы с Лежанкиной на ее территории. Или на нейтральной. Тате было все равно. Муж исчез из ее жизни, и где он пребывал физически — не имело значения.

В выходные Тата поехала к матери.

Мама Таня постарела телом, но не умом.
— Меня Сашка предал, — сказала Тата. — Что делать?
— Жить, — ответила мама.

— Как?

— Утром встала, помылась, позавтракала и пошла на работу.

— Как?

— Ногами. Левой, правой...

— Без мужа. Без сына.

— Да. Это будет другая жизнь. Но это — жизнь.

Мать говорила медленно и тускло.

— Ты не заболела? — спросила Тата. — Ты плохо выглядишь.

— Очень тяжело переживать зрелые страдания своего ребенка, — поделилась мать. — Я привыкла видеть тебя счастливой. И вдруг все так перевернулось вверх ногами.

— Вот это и будет моя жизнь: вверх ногами.

Тата сидела в пустой городской квартире. Ее неудержимо тянуло на дачу.

Конец апреля. Деревья и кусты просыпаются. Дом, пахнущий деревом. На стенах фотографии молодой бабушки, молодой мамы Тани, маленького Филечки, прогулки, лай собак...

Тата собралась и поехала. Не хотелось видеть Гарика в своем доме, но придется мириться с новой реальностью.

Тата вошла на участок. Клейкие листочки пробивались на ветках тополя. Сад стоял в дымке.

Навстречу вышел Гарик с женой, толстой блондинкой. На их лицах застыл немой вопрос.

— Ты ко мне? — спросил Гарик.

— Я к себе, — ответила Тата.

— Здрасьте, Марья Иванна, — отозвалась жена.

— Я не Марья Ивановна, я — Тата. Мы же с вами договаривались...

— О чем?

— О том, что вы оставляете за мной комнату на первом этаже. Разве не так?

— Мы купили дачу, а не коммуналку, — сказала жена. — Мы хотим владеть домом единолично, а не коллективно.

Тата растерянно посмотрела на Гарика, но он развел руками. Дескать, я не решаю.

— У вас есть документы? — спросила жена.

— Какие документы? — не поняла Тата.

— На комнату.

— Ничего у меня нет. Мы договорились, и все.

— Слова — это воздух, — сказала жена. — Я могу показать вам договор купли-продажи. Там есть ваша подпись.

Тата вспомнила, что они действительно ходили к нотариусу, она действительно что-то подписывала, но договор не читала. Они с Гариком договорились устно: комната на первом этаже с окном в сад остается за Татой. А теперь получается, что слова — это воздух.

— Гарик, почему ты молчишь? — раздраженно спросила жена.

Гарик смущенно развел руками.

— Сволочи, — сказала Тата.

Повернулась и пошла к калитке. Она больше не хотела их видеть.

Тата поехала домой, сначала на автобусе, потом на метро.

Кругом один обман. Она продала дачу на тридцать процентов дешевле при условии, что комната останется за ней. Но не оформила. Гарик — номенклатура, главный редактор солидной газеты, не будет же он вести себя как мошенник. Но он именно так себя и повел. Как цыганка у Киевского вокзала. И ничего не сделаешь. И в суд не подашь. Он скажет, что ничего не обещал. Кому поверят? Конечно, ему. Тата — беззащитна. Кто ее защитит?

Она сама себя защитит. Как? Очень просто.

Приходит злая участь, забирает сына. Зачем? Почему? Нет ответа.

Приходит подлая Лежанкина, забирает мужа. Что можно сделать? Только возненавидеть. Им от ее ненависти ни холодно, ни жарко. Они ложатся на широкую кровать, обнимаются и шепчут друг другу: «Наконец-то мы вместе, какое счастье...»

Приходит ушлый Гарик, грабит ее на большие деньги и забирает комнату. А вот этого не будет. Она постоит за себя и накажет. Как говорят бандиты, «огорчит». Она огорчит Гарика и его жену. Она подожжет дом, и пусть он не достанется никому. Хорошо, если Гарик успеет вынести из огня свою номенклатурную задницу.

Тате стало легче. Не так тяжело дышать. Кто-то ведь должен ответить или, как говорят, заплатить.

Оставалось — подготовиться к мщению.

Это оказалось не сложно: достать канистру, купить бензин на бензоколонке, подготовить факел — палка и пакля, дождаться темноты. Взять такси и доехать до места.

На подготовку ушло три дня. Тата поняла, что тянуть нельзя, иначе она может передумать. Концентрация ненависти убывала. Ненависти могло не хватить на действие.

Тата шла к стоянке такси, как учила ее мама Таня: левой — правой... В руке был факел, как пика у Дон Кихота. А в другой руке канистра с бензином. Довольно тяжелая.

Тата доехала до места. Отпустила такси, зачем ей свидетели?

Калитка закрывалась на веревочную петлю. Откинула петлю. Прошла от калитки к дому.

Заглянула в окно.

Семейство Гарика в полном составе, включая жену, сына и тещу, сидело за столом. Пили чай.

кругом один обман

Над столом — круглый желтый абажур, который Тата ни за что не хотела менять на люстру. А теперь он светит другим. А Тата стоит вне дома, как нищенка. Нищенка с канистрой. Это уже не бедная попрошайка, это — террористка. Мститель.

Створка окна была приоткрыта, и в стекле, как в зеркале, Тата неожиданно увидела свое отражение. Ужаснулась. В стекле отразилась ведьма с висящими волосами. Где прежняя Тата — ясная, улыбчивая? Стояло исчадие ада. Неужели злоба может так исказить человека? Но ведь это не просто злоба. Это благородный гнев, ярость очистительная.

Тата отвинтила крышку канистры. Плеснула, но неудачно. Попала себе на туфли и на юбку.

Хотелось скорее закончить, поставить точку. Вытащила из кармана коробок спичек. Чиркнула. Бросила.

Загорелся не дом, а ее туфли. Огонь опалил ноги, перекинулся на юбку. Хотелось закричать, но сдержалась. Подумала: лучше так...

Исчадие ада, которое отразилось в окне, — не для жизни. Такое надо жечь. Утопить в геенне огненной.

Семья Гарика почувствовала запах бензина. Сунулись в окно.

В темноте по земле катался огненный шар.

Что это такое? Шаровая молния? Но молния маленькая и круглая, величиной с футбольный мяч. А это что-то большое, бесформенное.

Гарик первым все понял. Выскочил прямо в окно. Снял с себя пиджак, стал сбивать с Таты огонь.

Жена и теща выкинули в окно одеяло. Гарик накрыл Тату одеялом. Лег сверху, чтобы сбить остатки огня, перекрыть доступ кислорода.

Вызвали скорую. Стали ждать.

— Что это было? — спросила теща.

— Самосожжение, — сказал Гарик. — Знак протеста.

— Дурак ты, Игорь, — заметила жена. — Она хотела нас поджечь, а не себя.

— Почему же не подожгла? — спросила теща.

— Не сумела. У нее не получилось, — объяснила жена.

— Не хочу я эту дачу, — мрачно сказал Гарик. — Не буду я здесь жить.

Скорая увезла Тату в ближайшую больницу. Оттуда ее переправили в ожоговый центр. Все случившееся Тата объяснила как несчастный случай: хотела поставить в гараж запасы бензина, но…

Понадобилась пересадка кожи.

Понадобилось терпение. Тата буквально плыла в море боли.

кругом один обман

Ей кололи снотворное. Она спала и просыпалась и не понимала: день сейчас или ночь? И сколько времени прошло? Неделя? Месяц?

Постепенно боль притупилась. Можно было думать о чем-то еще.

Тата думала о превратностях судьбы: счастье может кончиться внезапно, в один день. И открыться большое горе. Как будто чья-то равнодушная рука взяла и перевернула песочные часы.

Почему? Батюшка сказал: «Надо думать не "почему", а "зачем"». Действительно, зачем?

Нянька Анюта говорила: «Не надо ее дражнить, надо чтобы все по-ейному было».

А вот не получается все «по-ейному». Филипп умирал, и Тата умирала вместе с ним. Ее жизнь остановилась. И она хотела, чтобы все, кто рядом, тоже умирали вместе с ней. Но нет. Муж Саша предпочитал жить и чувствовать и любить живую женщину, а не бесчувственное бревно.

Тата ждала, что все вокруг замрут в отчаянии, станут рвать волосы на голове, протестуя против несправедливой судьбы. Но нет. Выразили соболезнования и пошли своей дорогой. У всех своя дорога. И оттого что у Таты дорога оборвалась над пропастью, не значит, что другие тоже должны лететь в пропасть вместе с ней. Ее задача — никому не мешать. Не грузить. Смирить гордыню. И какое счастье, что она не подожгла дом. Не взяла грех на душу. Лучше так, как есть. Заживет, как на собаке, и уйдет в прошлое. Утонет, как «Титаник».

Бедная мама Таня. Чуть не потеряла все свои ветки: и внука и дочь. Она приходила к Тате, останавливалась в ее ногах с испуганным, несчастным лицом.

Тата раскрывала глаза. Спрашивала:

— Ну, что ты пришла?

Тате хватало своей боли. Не было сил на сочувствие. У нее ни на что не было сил.

Выписали первого мая. Праздник. Какой смысл оставаться в больнице на праздник? Все равно все гуляют, кроме дежурного врача. Тата попросила у сестры-хозяйки халат и тапки. Ее вещи обгорели, превратились в хлам.

Сестра вошла в положение и дала линялый халат: на синем фоне розовые тюльпаны.

— Можно не возвращать, — разрешила сестра. Ее звали Зоя.

Тата надела халат поверх рубашки. На рубашке был черный штамп.

Обгоревшие волосы росли клоками вокруг проплешин. Пугало огородное.

В таком вот виде Тата выплыла на улицу, в весну, в праздник.

Ноги были обтянуты тонкой розовой кожей, как будто Тата горела в танке. Лицо тоже обгорело в районе глаз, и кожа гладкая, как леденец. Ни одной морщины, как будто Тата сделала подтяжку.

Зоя вышла ее проводить. Стояла квадратом, все стороны равны.

— Ты почему такая толстая? — поинтересовалась Тата.

— У меня наследственное, — ответила Зоя.

— И ничего нельзя сделать?

— Ничего. Я уже операцию делала, половину желудка отрезала.

— Не помогло?

— Как видишь.

Зоя была молодая, с хорошеньким личиком. Объемы, конечно, не украшали, но все равно видно, что молодая и хорошенькая.

— У тебя парень есть? — не отставала Тата.

— Есть. Азербайджанец. На рынке работает.

— Как зовут? — спросила Тата.

— Юсуф. Азербайджанцы любят большие задницы. Они своих невест перед свадьбой специально откармливают грецкими орехами.

Подошел автобус.

— Ну, я пошла, — попрощалась Тата.

— Всего хорошего, — пожелала Зоя.

Что может быть хорошего в ее жизни — одинокой и обожженной?

Тата вошла в автобус с задней площадки, забилась в угол. Она стеснялась своего вида. Люди могли подумать, что сбежала из дурдома. Но никто не обратил внимания. Все сидели к ней спиной и думали о своем.

Автобус тронулся. Улицы с домами побежали назад.

Какое счастье быть живой и целой и ехать к себе домой. Это и есть все хорошее, что желала Зоя.

Через месяц в дверь позвонили.

Тата открыла и увидела Свету, свою несостоявшуюся невестку. Рядом с ней стояла худенькая девочка лет десяти.

Света отодвинула Тату и, твердо ступая, прошла в комнату Филиппа. С размаха села на его кровать. Посадила рядом девочку.

— Это будет моя комната, — объявила Света.

Она смотрела исподлобья. Взгляд был острый, напряженный, как у мелкого хищника. У куницы, например.

Света ступила на чужую территорию и ждала войны.

Но война не начиналась.

Тата жадно вглядывалась в свою внучку, которую видела впервые.

Девочка не похожа на Филиппа, из другого клубня, но все равно видно, что это его дочка. Видно, и все. Тот же постав головы, немножко вперед. Так же вздрагивает щечкой. Стесняется. Милая…

кругом один обман

Комнате суждено было стоять пустой, как мемориал, и пылиться от времени. Пыль — это время. Пылинка — секунда.

Разве не лучше, если комната наполнится жизнью ребенка: его смехом, дыханием, легкими шагами…

— Как тебя зовут? — спросила Тата.

— Ляля, — мяукнула девочка.

Тата наклонилась и поцеловала ее в макушку. Вдохнула родной запах. Волосы пахли ванильными сухариками.

такие люди

Мне позвонил племянник Гоша и сказал:

— Тетя Люся, давайте продадим наше место на Ваганьковском кладбище.

— Как это? — удивилась я.

— На Ваганьковском очень дорогая земля. Наше место стоит один миллион. Можно продать.

— А урны куда? К тебе на кухню?

В могиле уже стояли две урны с пеплом наших предков. Осталось шесть мест. Одно из них я рассчитывала для себя. В дальнейшем, разумеется. В отдаленном будущем.

Это место на Ваганьковском кладбище со скромным памятником из красного гранита было нашей семейной усыпальницей. Нашим будущим. Продавать будущее…

Я поняла, откуда ветер веет. От Гошиной жены Вероники. Сам бы Гоша до такого не додумался. Ему бы такое в голову не пришло.

А Веронике пришло, поскольку она только и размышляет на тему: где взять деньги? Готова продать почку, но не свою, разумеется, а Гошину. Она не работала ни одного дня в своей жизни. Как цыганка.

Веронике сорок лет. Могла бы пойти и поработать, но эта мысль ей чужда и даже враждебна.

Вероника — художница, творческий человек. Вся ее энергия уходит на то, чтобы писать картины: пейзажи, натюрморты, групповые портреты. Пишет она уже двадцать лет. Ее картины не продаются. Почему? Это вопрос. Я в живописи ничего не понимаю и не могу сказать: хорошо или плохо. Подозреваю, что средне.

Вероника выставляет свои картины на выставках. Рассчитывает, что кому-то они понравятся, кто-то их заметит. Но…

Однако начну с самого начала.

В одну прекрасную весну я вышла замуж за Стасика и переехала из Киева в Москву. Мы оба были бедные и бесперспективные. Он — инженер, я — медсестра. Сколько надо было пахать, чтобы заработать на отдельную квартиру…

Стасик пахать не хотел и не умел. Ему нравилось ничего не делать. Такой человек.

Внутри меня сидела какая-то батарейка, которая чикала и гнала вперед. Я не могла смириться с бедностью и скукой существования. Я работала на трех работах. Уставала до тошноты. Меня выручали молодость, и здоровье, и пламенный мотор вместо сердца.

Мы жили с родителями Стасика. Моя свекровь Полина Семеновна была женщина таинственная. Высокая, стройная синеглазая брюнетка. Сочетание синих глаз и черных волос выделяло ее из общего ряда. Ко всему прочему она была смешливая, охотно хохотала — можно сказать, ржала, как молодая кобылица на лугу.

Ее муж Яков Михайлович — ответработник, как тогда называли (значит, ответственный). Он возглавлял какую-то фабрику, сплошь состоящую из женщин. Полина его ревновала, и иногда они не разговаривали по неделе. В доме возникал вакуум. Все передвигались молча, как рыбы. Однако погоду в доме определяла, конечно же, Полина. От нее зависел курс семейного корабля.

Когда-то, в молодости, Полина работала в организации, которая называлась Коминтерн. Чем она там занималась — тайна. Потом тайна прояснилась: Полина внедряла наших шпионов в дружественные страны. Как внедряла? Давала подробные инструкции: где оказаться, к кому подойти. Как быть одетым, что на голове, что в руках.

такие люди

Работа скорее техническая, но необходимая.

После войны Коминтерн разогнали, почти всех пересажали. Полину не посадили. Как-то пропустили. Наверное, она была мелкой сошкой, незначительным винтиком.

Все коминтерновцы жили в гостинице «Люкс», которая располагалась на улице Горького, неподалеку от Кремля.

«Люкс» расселили. Все получили квартиры в «красных домах» возле метро «Университет». Дома были выстроены из красного кирпича, отсюда название. Сейчас «красные дома» — элитный район, а тогда, после войны, окраина Москвы. Вокруг деревня в садах, бродят коровы и гуси.

Полине предложили трехкомнатную отдельную квартиру на семью из четырех человек: двое взрослых, двое детей. У Стасика была младшая сестра Майка.

Полина замахала руками. Она хотела жить исключительно в центре, исключительно на улице Горького. Она так привыкла. Жизнь на задворках оскорбляла ее, наводила тоску, ввергала в депрессию.

Полине пошли навстречу и дали одну комнату в коммуналке, засунули четырех человек в одну комнату.

Полина ликовала. Пусть тесно, зато центр, самый что ни на есть. Напротив зала имени Чайковского.

Лично я считаю, что Полина поступила как незрелая, недальновидная, практически дура.

Разве не лучше было бы иметь две отдельные спальни плюс общая комната?

Общую комнату заменил диван. Все толклись на диване.

Стасик женился и привез меня из Киева. Пятая.

Мы отправились снимать комнату. Я помню: какой-то мрачный переулок, небольшая толпа из плохо одетых людей. Всем негде жить. Все мечтают снять комнату или хотя бы угол. И в этой толпе я — такая красивая, двадцатилетняя, с пламенным мотором. Разве здесь мое место?

Стасик стоял в кроличьей шапке, синеглазый и безразличный. Снимем — хорошо, не снимем — тоже хорошо.

Стало примерно ясно: наша семья — улей, Стасик — трутень, а я — рабочая пчела. Вот и жужжи.

Мы снимали какие-то жалкие углы. Я всегда была одета не по сезону. Зимой мне было холодно ногам, а весной жарко в синтетическом пальто.

Главный враг человечества — бедность. Бедность — это яма, из которой я карабкалась в одиночку. Стасик предпочитал сидеть в яме. Там надежнее, тепло и сыро.

В конце концов мои родители и родители Стасика отдали нам последние деньги, накопленные за всю жизнь, и мы купили себе кооперативную квартиру плюс мебель. Началась другая жизнь — лучше, ярче, но все равно не моя.

Родился ребенок. Это особый период в жизни. Пожалуй, самый трудный, трудоемкий. И не увильнешь. Инстинкт материнства не пустит.

На лето сняли большую хорошую дачу. Переехали первого мая, а второго начался проливной дождь и шел два с половиной месяца без перерыва на обед. Как будто в небе что-то прорвалось и запасы воды рухнули на землю. Сыро, темно, ребенок плачет, хоть бери да вешайся.

В середине июля Полина Семеновна не выдержала и вызвала грузовик, чтобы съехать. Грузовик заказали на вторник, а в понедельник вышло солнце. Солнце чувствовало себя виноватым перед людьми и принялось так палить, что все вокруг мгновенно высохло и засверкало. Началось лето.

Коляску с ребенком выкатили в сад. Маленькое тельце нашей дочки было осыпано солнечными горошинами. Деревья выделяли хлорофилл, поглощали углекислый газ. Пришло здоровье и радость бытия. Было понятно, во имя чего снималась дорогая дача и тратились большие деньги.

Синоптики сказали по телевизору, что норма осадков выполнена и теперь три месяца подряд, а именно половина июля, август и сентябрь, будет прекрасная солнечная погода.

Однако грузовик заказали на вторник, и он пришел. Полина Семеновна приказала грузить вещи.

Почему? Зачем? С какой стати?

Но Полина не обращала внимания на мои вопросы. Она не меняла своих планов.

Я помню, как переполненный грузовик медленно ехал по дороге, а я шла рядом с грузовиком и громко рыдала на всю улицу. На моих глазах творилась глупость, недальновидность, ошибка, в конце концов, а я ничего не могла сделать. Я шла и рыдала и тем самым позорила Полину Семеновну. Она угрюмо молчала и шла рядом с грузовиком с другой стороны. Мой муж Стасик участия не принимал. Можно съехать. Можно остаться. Разбирайтесь сами.

Все кончилось тем, что в середине июля мы оказались в душной летней каменной Москве. Жара. Каблуки проваливаются в асфальт.

Деньги за дачу нам не вернули, и правильно сделали. Я задаюсь вопросом: может, Полина того? Ку-ку?

Но нет. Умная. Сдержанная. Член партии. Их партийная ячейка находится в ЖЭКе. Иногда там проходят собрания, и она руководит. Главенствует. Решает спорные проблемы, как царь Соломон.

Наша коммуналка состояла из четырех комнат. В одной жили мы. В другой — соседка по кличке Рыжая. С ней жил ее брат — больной человек лет шестидесяти. Иногда он выходил погулять в коридор. Делал несколько шагов, останавливался и громко пукал, после чего пробегал вперед как реактивный самолет.

Рыжая часто говорила по телефону. Умоляла вернуться обратно сбежавшего мужа Леву, но у Левы уже родились дети от новой жены.

Рыжая страдала от одиночества. Брат не считался. Он не скрашивал жизнь, а, наоборот, подчеркивал безысходность.

В третьей комнате жила молодая семья, которая не любила готовить на общей кухне и заказывала обеды в ресторане.

Полина Семеновна падала в обморок — какая бесхозяйственность! Это сколько же надо заплатить за обед из ресторана? Тройную цену! И неизвестно что принесут, какими руками готовят. Почешут в заднице, а потом этими же руками лепят котлеты. Фу!

Полина всю жизнь жила от зарплаты до зарплаты, сводила концы с концами, и заказные обеды были для нее непозволительная роскошь, почти разврат.

Четвертая комната была маленькая, десятиметровая. Жильцы там все время менялись. Однажды въехал некий Володя — странноватый мужик. Он ходил неестественно прямо. У него было что-то не так с позвоночником. Рыжая прознала, что Володя потерпел авиакатастрофу.

Я не понимала: что такое авиакатастрофа? Упал вместе с самолетом? Летел вниз из-под облаков? Как можно после этого выжить? А может, катапультировался? Тоже мало радости.

Володя привел с собой милую тихую подругу. Она выходила утром на кухню в байковом халате и ни с кем не вступала в разговор.

В один прекрасный день я увидела посреди кухни незнакомую решительную тетку. На ней было серое пальто с большим круглым каракулевым воротником, тоже серым. И круглая шапка, которая называется «кубанка».

В руках она держала папку. А в папке, как оказалось, лежало заявление на аморальный облик Володи. Оказывается, Володя жил с ней в гражданском браке пять лет, а потом бросил без предупреждения и завел себе другую, которую мы все изволили лицезреть.

Тетка требовала справедливости, а именно: новую выгнать, а ее вернуть к Володе.

Она протянула папку Полине Семеновне. Та взяла и скрылась в своей комнате, положила папку в бельевой шкаф.

Я спросила:

— Что вы будете с этим делать?
— Посмотрю, как они будут жить. Если хорошо, пусть живут. А если он начнет себе позволять, я дам ход этой бумаге.

Справедливо. Но что он может позволять себе после авиакатастрофы?

Время шло. В семье происходили события. Я поступила в медицинский институт. Сестра Стасика Майка влюбилась в одноклассника и вышла за него замуж. Была свадьба. Все как у людей.

Майка ушла жить к мужу, но скоро вернулась. Она привыкла к тихому течению бытия, а в доме мужа трам-тарарам. Однако вернулась беременная, все как положено.

Состоялся семейный совет. Полина Семеновна постановила: делать аборт. Тесно. Некуда кроватку поставить. И не время. Рано.

Я робко вмешалась. Почему рано? Майка вышла замуж законным браком. Муж при ней. Первый аборт делать опасно: могут быть осложнения вплоть до бесплодия.

Тесно, да. Но не убивать же человека, родного внука. Женщины во время войны рожали в окопах. И ничего.

Тяжело материально? Но как говорят: Бог даст день, Бог даст пищу.

Полина Семеновна выслушала мои доводы, но осталась при своем мнении. Она не меняла своих планов. Грузовик № 2.

Аборт был сделан. Через два месяца Майка опять залетела. Второй подряд аборт делать испугались. Майка оставила беременность, но ребенок родился преждевременно. Явился на свет шестимесячным. Назвали Гоша.

В роддоме его выхаживали в специальном кувезе, Гоша там дозревал как зеленый помидор под подушкой.

Во время дозревания Гоша перенес сепсис (заражение крови), его кололи какими-то стремными антибиотиками, которые убили слуховой нерв. Мальчик остался живой, но глухой.

Первый ребенок должен был родиться в сентябре доношенный и здоровый. Но Майка прошла через аборт, через воспаление и родила Гошу в том же сентябре, только недоношенного и глухого. А кто виноват? Полина виновата. Майка молодая, глупая, никакого жизненного опыта, а Полина все-таки прожила жизнь, все-таки мать. Но что поделать? Такой человек.

Гоша рос, развивался, все боялись умственной отсталости, но нет. Вполне себе умный. Поступил в сложный институт. Слышал плохо, но все-таки слышал. Сутулый. Во всем облике проглядывалась неуверенность в себе.

Раньше я думала, что «недоделанный» — это фигура речи. Нет. Недоделанный — значит, не доделанный до конца.

Майка с мужем разошлась. Он сбежал через два года после свадьбы, что естественно. Кто может жить в такой человеческой плотности, как в тюремной камере?

Насытившись вольной жизнью, беглый муж захотел вернуться к Майке, поскольку первая любовь, как известно, не ржавеет.

Он пришел к Майке, покаялся и сказал все нужные слова типа «кроме тебя мне никто не нужен».

Майка дрогнула. Видимо, она его любила.

Состоялся семейный совет, на котором каждый выразил свое мнение.

— Никогда! — объявила Полина Семеновна. — Он предатель. А предателей не прощают.

— Но ведь сейчас не война, — возразил Яков Михайлович.

— Надо иметь женскую гордость! — Полина грохнула кулаком по столу.

— Надо иметь семью, — вмешалась я. — Вы же не хотите, чтобы Майка осталась одна. Ей только двадцать пять лет.

У Майки была неброская внешность, но очень тонкая и милая, если приглядеться. Но кто будет приглядываться? Все так спешат и бегут мимо по своим делам, по своим интересам.

Майке грозило пожизненное одиночество. Я это видела. А Полина — нет. Обида застила ей глаза, она не хотела приподняться над проблемой.

— Лучше умереть стоя, чем жить на коленях!

Это был заключительный вердикт. Сей лозунг принадлежал не Полине, слава богу.

Я лично считаю, что лучше жить при любых обстоятельствах. Что может быть дороже жизни? Дороже любви?

Своего мнения у Майки не было. Вернее, оно, конечно, было, но Майка ему не доверяла. Мать подавляла ее. Мнение Полины являлось для Майки истиной в последней инстанции.

В результате: мужа отвергли, отвадили. Майка осталась без мужа, Гоша без отца. Зато семья сохранила гордость. Женщина в Майке умерла стоя. Грузовик № 3.

Полина Семеновна заболела. У нее пропал аппетит. Она перестала есть. Районные врачи не могли поставить диагноз. Подозревали то одно, то другое.

Однажды я увидела, как она похудела. Я спросила:

— Что с вами?

Полина Семеновна заплакала.

Это было невероятно. Мне казалось, что Полина Семеновна не умеет плакать. Она была — «железный дровосек» и не позволяла себе слез ни при каких обстоятельствах. Если бы ее вели на расстрел, она ступала бы твердо и не дрогнула ни одной жилкой. А тут… худая спина в черной вязаной кофточке тряслась от рыданий.

Что я могла сделать? Как помочь? Бесплатная в те годы медицина, равнодушные врачи на мизерной зарплате. Что им еще одна старуха, потерявшая аппетит? Хотя какая же старуха? Полине — пятьдесят пять лет. Можно сказать: расцвет. Стройная, синеглазая, с высокими моральными устоями.

Я захотела ее обнять, но постеснялась. В семье все любили друг друга, но открыто выражать свои чувства было не принято.

К этому времени я уже окончила медицинский институт, написала диссертацию и знала всех медицинских звезд. У меня были свои козыри в колоде: молодость, хорошая фигура и активная жизненная позиция.

Я решила подключиться к проблеме: позвонила куда надо, договорилась с кем надо, и мы с Полиной поехали к суперспециалисту с очень длинной фамилией — Константинопольский. Девятнадцать букв.

Специалист принял нас в клинике, в своем кабинете. Он коротко глянул в нашу сторону. Сказал:

— Раздевайтесь.

Полина покорно стащила с себя юбку и кофту. Мне открылось ее нижнее белье: рубашка, похожая на длинную майку. Как у солдата. Ни тебе кружавчиков, ничего женственного. Все было отстирано и тщательно выглажено, но... Грубая бедность. Почти нищета. Я увидела ее самопожертвование. Ничего для себя. Все только для семьи. Скромная, любящая, ничего не получающая взамен.

Ее мужу было все равно, как она существует. А детям — тем более. Мать должна отрезать от себя куски, на то и мать. А человека в ней не видел никто.

В моем сердце тяжело повернулась жалость.

Специалист предложил Полине лечь на кушетку. Два раза нажал рукой на живот в разных местах и сказал:

— Можете одеваться.

Ему было все ясно. Под пальцами обозначилась опухоль. Рак почки.

Я потом долго недоумевала: а что, районные врачи не могли определить? Ведь это же так легко. Специалисту понадобилось четыре минуты.

Значит, что? Не умели или не хотели? Или то и другое?

Константинопольский сел к столу, написал свое заключение на листке бумаги. Сунул листок в конверт и провел языком по краю конверта. Заклеил.

— Вот, — сказал он мне. — Пойдете к нефрологу.

Фамилия нефролога была Могилевский. Он работал на кафедре, вел студентов. Преподавал и практиковал. Профессионал высокого класса.

Внешне это был толстый краснолицый еврей. Вокруг него крутилась стайка молоденьких студенток. Воздух был насыщен гормонами и даже трещал от переизбытка феромонов. Девчонки хихикали. Могилевский незаметно почесывал свои яйца. Ему нравилась власть.

Мы вошли в кабинет. Я протянула Могилевскому конверт. Он его легко открыл, вытащил заключение, прочитал и сунул обратно.

— Так... — обратился он к своим студенткам. — Прошу смотреть по очереди. Диагноз... — Далее несколько слов по латыни. Я разобрала слово «канцер».

Хорошо, что Полина не имеет медицинского образования.

Полина покорно легла на кушетку, побыла учебным пособием. Далее она поднялась и поправила на себе одежду.

— Во вторник операция! — объявил Могилевский.

— А сегодня какой день? — растерялась я.

— А сегодня пятница. Значит, через три дня. Придете в приемный покой. Вещи с собой: халат, тапки. До свидания.

Могилевский сунул открытый конверт мне в руку.

Мы спустились в гардероб. Все было сделано на высшем уровне: консультация, срочная операция без промедления. Могилевский — молодец. Но какой же противный... Чешет яйца на фоне человеческой трагедии. Хихикает. Сунул обратно раскрытый конверт. А в нем — приговор. Высшая мера.

— Дай мне конверт, — сказала Полина.

Я обомлела.

— Нельзя, — выговорила я.

— Дай конверт! — железным голосом повторила Полина и выкинула вперед руку.

Что делать? Мне ничего не оставалось, как вложить конверт в ее руку. Она достала из сумки очки.

Присутствовать при всем этом я не могла и кинулась прочь, побежала вверх по лестнице на второй этаж, заметалась там, не зная куда себя деть.

В конце концов вернулась обратно в гардероб. Полина сидела на стуле, уронив голову. Я взяла листок из ее рук, пробежала глазами. Там было написано черным по белому: «новообразование», и подчеркнуто жирной чертой.

— Это киста, — сказала я довольно безразлично. — Киста — это тоже новообразование. Полость, наполненная жидкостью.

Я пыталась обмануть Полину безразличным тоном. Но она была стреляный воробей. Она мне не верила.

Дальше я помню, как она остановила такси. Мы обе сидели на заднем сиденье, и я целовала ее руки.

Меня затопила жалость. Жалость жгла меня, как огонь. Я любила эту женщину за то, что она была — настоящая. Пусть непрактичная, пусть идиотка, но — настоящая, крупная по своей сути. Лучше всех, кого я знала. Она заменила мне семью в чужом городе. Она ставила передо мной тарелку с лучшим куском, и все это без лишних слов. Молча. Даже сурово. Она родила мне красивого мужа, пусть ленивого, но и он был мне защита в этом большом равнодушном городе. Без них я бы потерялась как пуговица. А с ними я себя нашла и стала тем, кем стала. Меня приглашали читать лекции, я ездила по всей стране.

Яша меня высоко чтил. Гордился. Мы стали одно целое. В эту минуту в такси Полина была одновременно старшей и младшей, матерью и ребенком. Я гладила ее плечи, целовала руки, успокаивала, врала и говорила, говорила... Я думала, что Полина не слышит, погруженная в горе, но она все слышала. И запомнила. Она не ожидала от меня такого искреннего, горячего участия. Все-таки свекровь и невестка, как правило, соперницы. Между ними один мужчина. Но Полина при всех своих грузовиках умела увидеть главное: я — рабочая трудолюбивая пчела и мы все из одного улья.

Вечером вернулся с работы Яков Михайлович.

Полина не вышла его встречать. Она лежала на кровати лицом к стене.

Я вывела Яшу на лестничную площадку и, вцепившись своим взглядом в его глаза, сказала коротко:

— Диагноз — рак.

— Нет! — резко отмахнулся Яша, как будто отогнал рукой пчелу.

Его глаза стали круглые, как у петуха, и раздраженные. Он не хотел знать плохого. Боялся правды.

Повернулся и ушел. Я поняла, в кого мой муж Стасик. В своего папашу.

Яша боялся жизни. Не умел и не любил ей противостоять. При этом он любил Полину глубоко и преданно. Она была его вторая половина. А может быть, и три четверти.

Во вторник я поехала с Полиной в клинику. Перед тем как отправиться в приемный покой, поднялась к Могилевскому и зашла в его кабинет без очереди. Он поднял на меня непонимающие глаза: чего еще надо?

— Вы отдали распечатанный конверт, — напомнила я. — Она прочитала...

Могилевский покраснел и надулся. Я бы сказала: раздулся от стыда. Ему стало неловко, тем более что вокруг были люди. Я опозорила его прилюдно, но не это было моей задачей. Моя цель — поправить положение.

— Я прошу вас, скажите больной, что у нее другой диагноз. Надо снять стресс. Дать надежду.
— Ведите, — буркнул Могилевский.

Я сунулась за дверь и ввела Полину в кабинет.

Могилевский хмуро посмотрел на нее и сказал:
— Отрежем вам почку. Она не нужна. У вас гнойный нефрит. Поняли? Почка, полная гноя, как мешок.

Полина нахмурилась. Произнесла один звук:
— У...

Рака нет, слава богу, но и гнойный мешок в боку — не праздник.
— Всё! — отрубил Могилевский. — Можете идти. Оперировать будет Шарафутдинов.

Фамилия мне ничего не говорила, кроме того, что хирург — татарин. Но я не стала задавать лишних вопросов: хороший хирург, плохой хирург... Могилевский сделал все что мог: подтвердил диагноз, направил на операцию без промедления, не потеряв ни одного дня. Всё.

Хирург оказался хороший.

Полина быстро оклемалась и через неделю была дома. Аппетит восстановился. Полина поняла, что родилась заново. В этой связи она решила сделать мне подарок. Денег на покупку подарка не было. Полина нашла в доме старую шерстяную шапку, выстирала ее и натянула на трехлитровую банку для сохранения формы. Шапка высохла, получился пузырь жуткого василькового цвета. Я такую шапку никогда не надену, разве что определю кошке, как подстилку.

Я сказала:

— Спасибо.

Однако удивилась. Полина знала, что я барышня модная. Знала, что мне эта шапка не подойдет ни при каких обстоятельствах. Зачем дарить? Потом поняла: просто жест благодарности. Надо — не надо, не имеет значения.

Милая, милая бедная Полина. Бедная — в прямом смысле слова.

После операции Полина прожила еще тридцать лет, вычерпала свой жизненный срок целиком. И всегда я чувствовала ее поддержку, ее участие в моей жизни.

Однажды я провалилась в глубокую депрессию. Причина — несчастная любовь (не к Стасику, разумеется).

Стасик в причины не вдавался, а моя депрессия ему мешала. Я не готовила еду, не убирала в доме, не отвечала на вопросы. Просто лежала и плакала.

Он вызвал мать.

Полина приехала, села на край дивана.

— Люся, — обратилась она ко мне. — Надо взять себя в руки.

Голос ее был мягок и одновременно тверд.

— Даже когда есть причина, надо собраться и взять себя в руки. А если нет серьезной причины — тем более. Сейчас же соберись, ступай на кухню и поставь чайник.

Какие простые, по сути, примитивные слова, но они падали в мою душу, как зерно в рыхлую землю, и тут же пускали ростки.

Я думаю: в этом суть молитвы. Самые простые и ясные слова, попадающие в душу и дающие ростки.

Если нет серьезной причины... Убивать в себе любовь — это серьезная причина?

Я поднялась и пошла на кухню, а Полина села за пианино и стала играть песню, которую она подобрала по слуху. Играла плохо, а пела хорошо. Стало весело.

Зазвонил телефон. Это был хирург Шарафутдинов. Мы подружились с тех пор. Иногда перезванивались.

— Как мама? — спросил хирург.

— Песни поет, — ответила я. — Слышите?

Я протянула трубку к пианино.

— Боже... — отозвался хирург. — Я боялся спрашивать...

— На тебе сошелся клином белый свет, — голосила Полина. — На тебе сошелся клином белый свет...

Полина все про меня понимала. Но она понимала больше. Нет такого клина, на котором сошелся бы белый свет. Любой клин вышибается другим клином. А можно и не вышибать. Просто обойти и двигаться дальше.

Полина не всегда была «железный дровосек». Ее прошлое не было таким уж хрестоматийным. Недаром же ей была дана такая гордая осанка и такие синие глаза. Она любила, и ее любили. Она уходила, и от нее уходили. Было все. Но пришла старость и все уравняла. Как выпавший снег прикрывает весь мусор прошлого сезона.

Старость — это зима. Это — высота. И на многое смотришь сверху, и лучше видно.

Полина после операции прожила еще тридцать лет и умерла от другого.

Умирала она тяжело и долго. Все легло на Майку. Майка работала заведующей отделом в каком-то серьезном учреждении. Тащила большой воз: днем — напряженная работа, вечером — больная мать. Майка крутилась как белка в колесе: невозможно остановиться. И перспектива как у белки в колесе: перебирать лапами и бежать, бежать и ничего вокруг не видеть.

Стасик пытался помочь, но какая помощь от мужика, тем более что мы жили в разных концах города.

Выход был один — на тот свет. Полина это понимала. Попросила пригласить врача.

Явился пожилой психиатр, похожий на Вольфа Мессинга, — лохматый и носатый.

— На что жалуетесь? — участливо спросил врач.

— Я прошу у вас помощи, — твердо сказала Полина. — Понимаете? Моя дочь работает. Ей платят не за красивые глаза. Потом она приходит домой, а здесь вторая смена. Со мной. Она устает. Она не выдерживает. Помогите мне не жить.

Врач покивал головой, как бы соглашаясь с доводами. Обычно так общаются с сумасшедшими. Делают вид, что все понимают и сочувствуют, а на самом деле не верят. Нормальный человек хочет жить. А если не хочет — значит, ненормальный.

Майка и Яков Михайлович стояли за спиной врача и тихо плакали. Они знали, что Полина в своем уме. Просто она привыкла служить семье, и ей невыносимо быть в тягость.

Я не плакала, но в моей душе все переворачивалось. Вот она, жизнь. Природе все равно — кто ты, как жил, чего ты стоишь. Эволюция требует обновления. Пришла пора — освобождай поляну. А перед тем как освободить, помучайся сам и помучай других.

Вольф Мессинг покивал головой и сказал:

— Не жить вы еще успеете. Надо подлечиться.

— А это возможно? — спросила Полина и устремила на врача свои глаза, полные надежды. — Доктор, вы можете сделать из меня человека?

Я отметила: синева ее глаз не выцветала со временем и «железный дровосек» сохранялся в ней и не ржавел. Потребность справедливости и человеческое достоинство сохранялись в ней до конца.

И даже мертвая она была красива.

Нам дали место на Митинском кладбище. Это далеко, за чертой города. Как говорится, у черта на рогах.

Митинское кладбище — новое. Там хоронили чернобыльцев. Это был 1986 год. Несколько рядов ранних могил с короткими жизнями выстроились, как взвод. Было страшно смотреть.

Могила Полины стояла на треть заполненная водой. Весна. Грунтовые воды.

Яков Михайлович заглянул в могилу и сказал:

— Я ее туда не положу.

Майка держала урну с прахом. Урна была небольшая и, скорее всего, нетяжелая. Туда помещают не весь прах, а несколько ложек (ну, может, не ложек).

Опустить Полину в эту топь — невозможно. Душа не велит.

Я включила все свои связи, и мне удалось получить место в черте Москвы, на Ваганьковском кладбище. Полина, я думаю, была рада. Она так не любила окраины.

Участок нам достался красивый, возле кирпичной стены, крайний ряд.

Могила — не зажата другими могилами. Над оградой красивый развесистый клен. Рядом с нашей могилой — свежая могила тридцатисемилетнего красавца. На его памятнике из черного мрамора — даты рождения и смерти плюс фотография. Возраст и облик — полная информация.

Я посмотрела на фотографию и мысленно послала ему месседж: «Не скучай, я тоже тут прилягу, будем рядом...»

Мой сосед по вечности чуть-чуть улыбался, дескать, понял.

Наша могила на Ваганьково — своего рода усыпальница на восемь ячеек.

Я спросила у Стасика:

— А мне положено?

— Тебя посчитали, — сдержанно ответил он.

Ничего себе. Я доставала кладбище, и мне сделали одолжение: посчитали.

У Стасика было чувство собственного достоинства, ни на чем не основанное. Достоинство досталось ему от матери. Но Полина пахала всю жизнь, верила в светлые идеалы. А Стасик не пашет и не верит. Такой человек.

Может быть, он прав. Жизнь во всех случаях кончается смертью, так что летай или ползай — конец известен. Получается, что жизнь — это ложная цель.

Для чего существует искусство? Чтобы отвлечь человека от ложной цели и придать жизни какой-то смысл.

Для чего существует вера? Чтобы человек не боялся конца.

Вот он, мой туманный конец: на Ваганьковском, под развесистым кленом, рядом с молодым красавцем.

Наступила перестройка. Выяснилось, что комсомольцы 30-х годов — наивные придурки. Верили в фантом. Им морочили голову, а они верили.

Что касается нынешних большевиков — это сплошь взяточники и карьеристы. Вступают в партию только для того, чтобы сделать карьеру. В победу коммунизма никто не верит. Да и нужна ли она?

Яков Михайлович растерялся. Он верил в Сталина как в бога, а Сталина объявили параноиком и уголовником. В кого же он тогда верил?

Яша смотрел на меня своими круглыми рыжими глазами.

— Значит, я напрасно прожил жизнь? — растерянно спросил он.

— Вы любили? Детей рожали? — допрашивала я.

— Ну... — согласился Яков Михайлович.
— А все остальное ерунда. Солома.
— Какая солома?
— Чучело набивают соломой. Оно и стоит.

Яков Михайлович молчал. Трудно жить без идеалов. Необходимо во что-то верить, иначе пусто.

После смерти Полины я боялась за Яшу. Мне казалось, он не захочет жить.

Я выбрала момент и обратилась к нему с прочувствованной речью:

— Трудно потерять человека, с которым прожил всю жизнь. Но на этом свете лучше, чем на том. Надо жить как можно дольше. Туда вы всегда успеете.

— А я и не тороплюсь. — Яков Михайлович посмотрел на меня с удивлением: с чего я затеяла этот душеспасительный разговор?

Я смутилась. Действительно, с чего бы?

Яше, конечно, не хватало Полины. Как говорил Горбачев после смерти жены, «дефицит общения с Раисой Максимовной».

Дефицит общения с Полиной имел место, но Яша был эгоист до мозга костей, как и все мужчины. И Стасик в него. Чего я жду от Стасика? Гены не перешибешь.

Яша жил по строгому режиму и в результате прожил девяносто шесть лет. Почти целый век.

Он родился при царе в 1907 году, а умер при капитализме в 2003 году. Социализм к этому времени отменили. Многие большевики прилюдно рвали партийные билеты. Смотреть на это было неприятно. Я по телевизору наблюдала за постыдным действом отречения. Мне казалось, человек мочится при народе. Зашел бы за уголок и помочился. А так… у всех на виду вынимает член и трясет им. Дескать, вот я какой смелый.

Яков Михайлович билет не рвал. Просто спрятал в ящичек. Пусть полежит. Мало ли что…

Умер Яша легко. Его кремировали, как и Полину. Урну заложили в следующую ячейку. Осталось шесть.

С первым мужем Майка развелась. Он же оказался и последним. Смолоду верилось, что судьбу можно поправить. Но ничего поправить нельзя. Судьбу два раза не пишут.

Майка пребывала без мужа, однако преуспела в работе.

После перестройки она открыла маленькую фирму по производству асфальта. Ей принадлежала половина фирмы. Вторая половина досталась ее партнеру Грише Новикову. Они вместе учились в институте химического машиностроения, который окончили с красным дипломом.

Майка оказалась умная, но не железный дровосек. Ее можно было гнуть и ломать, что с большим успехом проделывал ее сын Гоша и кот по имени Шер (в переводе с французского «дорогой»).

Красоту матери Майка не унаследовала, к сожалению. Вся красота досталась Стасику.

Майка — замкнутая и беззащитная, как заяц. Даже меньше. Заяц может убежать, а Майка не может ничего.

Ее все любили, и я в том числе. Я вообще мало кого любила, потому что Скорпион. А Скорпионы — видят насквозь. Все хотят одного и того же: денег и любви. И все боятся одного и того же: тюрьмы и смерти. А в Майке была какая-то трогательная покорность и высокое благородство. Ее невозможно было расспрашивать о личном, невозможно было сочувствовать, невозможно касаться слабых сторон ее жизни. Майка как будто ставила стеклянную стену, как в аквариуме. Вроде все прозрачно, а за стеклом другая среда обитания. Стой и не лезь.

Все стояли и не лезли.

Майка тоже любила меня за противоположные качества, а именно: непокорность судьбе. Я строила свою судьбу как художник возле холста. Куда хотела, туда и малевала. Майке это нравилось и не нравилось. Мне было легко находиться в ее обществе. Легко дышалось, как в сосновом лесу.

Вся Майкина жизнь была подчинена сыну Гоше и коту Шеру. Кот — огромный, кастрированный, тигровой окраски. Глаза такие большие, что заходили за голову. Красавец и чистюля. Целыми днями мылся лапой. Его шерсть блестела.

Жил он у Майки на плечах, как воротник. Майка не могла уйти в отпуск, в смысле куда-то уехать. С котом не пускают в гостиницы. А без кота она не мыслила своего существования, как и кот без нее.

Ночью Шер норовил устроиться у Майки на плечах. Она его сгоняла. Засыпала в желанном одиночестве, но просыпалась оттого, что кто-то дышал ей в лицо тонкой холодной струйкой. Кот. Кто же еще? Он пробирался ночью, ложился рядом щекой на подушку и мирно спал.

Они были счастливы вместе: на пару смотрели телевизор, вместе ужинали. Кот ждал Майку с работы. Радовался. Иногда обижался и тогда мог не разговаривать с Майкой весь вечер. Сидел к ней спиной. Потом прощал и мирился. Но бывало, что не мог простить и тогда — о ужас, он мочился на ее вещи. На сумку, например. И эта месть оказывалась страшной. Сумка пронзительно воняла по несколько месяцев, и ничем невозможно было вывести этот острый тошнотворный запах.

Однажды Майка попала в больницу, ее не было две недели.

Майка отдала кота мне. Это был знак наивысшего доверия.

такие люди

Все две недели Шер сидел на подоконнике и смотрел в окно. Ждал Майку.

Я окликала его: «Шер!» Пыталась как-то отвлечь.

Он медленно поворачивал ко мне свою квадратную кошачью морду, его безразмерные глаза были затянуты пленкой глубокой депрессии. Тусклый страдающий взгляд. Я пыталась взять его на руки, приласкать, но Шер игнорировал мои ласки. Он ждал Майку.

Говорят, что кошки привязаны к дому, а собаки к людям. Не знаю. Шер был привязан именно к Майке, как будто был ее ребенком. Или возлюбленным. Этот кот вобрал в свое сердце всю любовь к человеку.

Майка вернулась наконец. Зеленые глаза Шера зажглись, как неоновые, и он больше никогда не подходил к подоконнику. Переселился на Майкины плечи и смотрел на всех свысока.

Стасик дразнил Майку:

— Ты думаешь, кот заметил, что тебя не было?

Я кидалась на защиту Майки, как бойцовый петух.

— Не слушай! — орала я. — Шер чуть не умер от тоски. Он чуть не покончил с собой.

Глаза Майки тут же осветились победным блеском. Она мстительно смотрела на Стасика. Но дело было не в том, кто прав, просто Стасика оскорбляла женская участь Майки:

вместо мужа — кот. И он уничтожал словами эту жалкую участь, как будто что-то изменится, если кота не будет.

Шер наполнял Майкино сердце теплом и зависимостью. Хочется, чтобы кто-то нуждался в тебе, не мог без тебя жить. И если нет такого человека, то хотя бы кот или собака. Это лучше, чем ничего, вернее — никого. Своего рода заместительная терапия.

Майка не сердилась на Стасика. Она любила брата не меньше, чем кота. Но у Стасика была своя жизнь, а у Шера — только Майка.

Гоша вырос. Окончил институт. Устроился на работу. Зарплата — кошкины слезы, но хорошо хоть так.

Гоша не отставал в развитии, ни в коем случае, но слышал плохо. Звук доходил до него как из-под воды. Какой-то врач-идиот не посоветовал Гоше ставить в ухо слуховой аппарат. Врач считал, что аппарат полностью посадит слух. Пусть Гоша ходит так как есть и напрягается, прислушиваясь. Нужно тренировать слух. Гоша смотрел собеседнику в рот, пытаясь по губам определить слова. Выражение его лица становилось напряженным, как у глухого. Не добавляло красоты.

Девочек у него не было. Потом завелась какая-то юная хохлушка, приехавшая в Москву на заработки. Майка сходила с ума, подозревала, что хохлушка хочет обвести наивного Гошу вокруг пальца. У хохлушки — ни кола, ни двора, ни образования.

Я пожимала плечами: а что у Гоши? Слуховой аппарат? И того нет.

Улице Горького вернули прежнее название: Тверская.

Дом, в котором жила наша семья, забрали под гостиницу и ресторан. Прежних жильцов требовалось расселить.

Я опять включила свои связи. Несмотря на капитализм, блат продолжал иметь значение. Помог и Яков Михайлович с того света. Он был участником ВОВ (Великой Отечественной войны), и это тоже сработало.

Мы ходили вместе с Майкой по инстанциям, выбивали что получше. И выбили. Две квартиры. Одна Гоше, другая Майке. Гошина квартира называлась «полуторка» — полторы комнаты. Находилась в кирпичном доме, в хорошем районе. Довольно большая комната и смежная маленькая с окном. Туда вполне помещались кровать и шкаф.

Теперь у Гоши была своя площадь. Готовый жених.

Майке досталась однокомнатная с большой кухней — двенадцать метров. Можно поставить нормальный стол и принимать гостей. Кухня-столовая.

Получив жилплощадь, Гоша укрепил свои мужские позиции. На него клюнула молодая художница Вероника, но расписываться не пожелала. Видимо, свою связь она считала временной. Скорее всего, Вероника переехала к Гоше «пар депи». Это значит: назло. Назло кому-то, кто разбил ее надежды.

Вероника надеялась, что этот кто-то одумается и восстановит надежды, и сделает сказку былью. И тогда она заживет, как в сказке, с любимым человеком. Но нет. «Кто-то» никак не отреагировал на исчезновение Вероники, а может, даже обрадовался: «Баба с возу — кобыле легче».

Брак смотрелся как неравный. Мезальянс. Вероника заметно превосходила Гошу по всем статьям.

Гоша влюбился в Веронику по уши. Он провалился в любовь, как в болото. Завяз и не хотел вылезать.

Веронике нравилось, когда ее любят. Она помыкала Гошей. Ей доставляло удовольствие помыкать. Она втирала его пяткой в землю, и это было ее любимым занятием. В доме постоянно гремели скандалы. Похоже, в этих скандалах Вероника черпала энергию для жизни. Поорет, унизит, оскорбит и как будто заправится бензином. Можно ехать дальше.

Я довольно часто встречала таких людей, которые заправляются скандалами. Я думаю, это скапливается и выплескивается неудовлетворенность жизнью.

Вероника не любила Гошу. Просто решила: лучше такой, чем никакого.

У них родился ребенок. Толик. Меня позвали на смотрины.

Посреди широкой кровати сидел улыбчивый, счастливый младенец. Копия Гоши, но качественный, доделанный до последнего винтика. Можно сказать, совершенный.

Я тихо шепнула Майке:

— Вот таким был бы Гоша, если бы родился вовремя.

У Майки испуганно вытянулось лицо.

— Тише! — Она боялась, что услышат. Майка скрывала эту позорную страницу своей биографии, хотя что тут такого? Она же не нарочно... Судьба строит рожи.

На столе стояло угощение: филе окуня и салат. В салате сочетались: капуста, морковка, сырые грибы, колбаса, все это было заправлено чем-то сладким. Горчица с сахаром, что ли... Невозможно взять в рот.

Вероника преподносила этот салат, как французский деликатес. Не знаю, может, во Франции туда добавляют устрицы. Но здесь обошлись без излишеств. Устриц заменили докторской колбасой.

Гости вяло ели, хвалили из приличия. Вероника царила за столом и властвовала. Гоша смотрел ей в рот, я боялась, что он в этот рот провалится. Ловил каждое слово, глаза его сияли и торжественно оглядывали гостей. Он праздновал свою победу: жена и сын. Да не какие-нибудь завалящие, а супер-экстра-класса. Сын — ангел. Жена — красавица, умница, талант. Пишет картины: пейзажи, натюрморты, портреты. Кто из присутствующих на это способен? Никто. Лично я не могу даже стакан нарисовать. Только кошку, и то очень приблизительно: цифра восемь, на верхнем кружке два уха, а посреди нижнего кружка хвост. Получается кошка, сидящая спиной.

Вероника работала много и плодотворно. Ее картины множились, уже некуда было складировать. Но в денежном выражении — нуль. Их не покупали.

Вероника ждала перемен: сейчас не покупают, но со временем все изменится, как у Пиросмани. Был нищий, умер под лестницей, а сейчас его имя на слуху у каждого, картины стоят бешеных денег, и даже песню сочинили: «Миллион алых роз».

Ребенок — это счастье и расходы. Нужна дача. Не сидеть же ангелу летом в городе, дыша асфальтом?

Дачу под Москвой осилить нереально. Купили дом в Калужской области, в деревне.

Природа — рай, но деревня есть деревня, со своим набором. По улице шпана гоняла на мотоциклах. Вечером, на ночь глядя, вопили блатные песни под гитару.

такие люди

Вероника терпеть не стала. Вышла за забор и сделала замечание в привычной ей хамской манере.

Шпана выслушала и дала Веронике в морду. Сломали нос. Вероника вернулась в дом, обливаясь кровью. Гоша помчался защищать, бить и убивать хулиганов. Он махал руками, выкрикивал угрозы, но шпана не обратила на него внимания. Даже не поняла: кто это нарисовался — маленький, сутулый, недоделанный? Такого и бить неудобно.

Шпана продолжала орать песни, как будто ничего не произошло. Для них это было привычно — подумаешь, дали бабе в морду...

Вероника приняла решение — продать дом, но никто не купил. Глушь. Никаких дорог. Деревня была неперспективная. Многие дома стояли брошенные, с заколоченными ставнями.

Надо сказать, что деньги на дачу в свое время дала Майка. И немалые. Потратила все свои накопления, или, как тогда говорили, моржу. Моржа сказала «до свидания».

Дом в деревне — неграмотное вложение. Вернуть деньги обратно оказалось невозможным. Пришлось бросить дом. Его тут же разграбили до последнего гвоздя. Вынесли все и напоследок навалили кучу. Куча лежала на обеденном столе, как заключительная точка. Финал.

Картины копились. Вероника не могла остановиться и писала, писала. Потом складывала, складывала.

Пришлось снимать мастерскую. Это было просторное помещение с пятиметровым потолком. Картины стояли на полу и на антресолях под потолком.

Краски и холсты стоили денег.

Все упиралось в деньги, которых не было. Вероника озверела. Хоть бери и грабь банк. Но кто ограбит? Гоша? Или кот?

Гоша работал по специальности: инженер. В Америке эта профессия высоко ценится и оплачивается. А в нашей стране не ценится и не оплачивается. Гоша не мог прыгнуть выше головы.

Вероника попробовала работать: расписывала потолки в богатых коттеджах. Но ей платили не за качество, а за количество. Оплачивался каждый квадратный метр. Сколько квадратных метров, столько и денег. Да еще и надсмотрщик в виде хозяйки коттеджа, богатой суки, которая ничего не понимает в живописи.

Микеланджело расписывал Сикстинскую капеллу, ему тоже платили за квадратный метр? Ему тоже указывали, как надо рисовать? Вероника ощущала себя не меньше чем Микеланджело, и ей невыносим был этот рабский труд за копейки. Она довольно скоро ставила всех на свое место, собирала кисти, краски и уходила, хлопнув дверью так, что вылетало стекло.

Вероника попробовала вести кружок в Доме культуры. Учила недорослей живописи. Но разве этому научишь? Надо родиться художником. Надо, чтобы эта божественная программа была записана в твой генетический код. А если у ребенка нет такой программы, то ничего и не получится. Это все равно что зайца научить стучать на барабане. Главное — зачем?

Вероника посещала свои занятия с четким ощущением, что ее жизнь перечеркнута. Она просто теряет время, переливает из пустого в порожнее. Любви — нет, женская реализация — нуль, творческая реализация — нуль. Что остается? Ребенок. Ради него и жить.

Вероника стеснялась внешности Гоши, ей было стыдно выводить его на люди. Рядом с Вероникой Гоша смотрелся как тень за горой: молчаливый, невзрачный, никакой.

Майка видела, что ее сына не любят, унижают. Она страдала. Но Гоша терпел и готов был терпеть всегда. Что угодно, но только рядом. Для него не было ничего дороже, чем эта женщина и эта жизнь. Он жил как в аду, но при этом был счастлив. Такие вот превратности судьбы.

Однажды утром Вероника строго произнесла:

— Гоша, нам надо поговорить.

Гоша напрягся: что за прелюдия? Надо говорить — говори. Зачем предупреждать?

— Я слушаю, — насторожился Гоша.

— Ты хочешь, чтобы мы с тобой прожили всю жизнь?

— Хочу.

— Пропиши меня в своей квартире. Сделай сособственницей.

Вероника была прописана в квартире своих родителей в тихом центре Москвы, и было не совсем понятно, зачем ей нужна прописка в скромной полуторке? Но если она хочет…

— Я согласен, — сказал Гоша.

Он прописал Веронику на своей площади. Это произошло во вторник. А в пятницу она забрала ребенка и ушла к родителям. При этом сказала:

— Квартиру продадим и поделим деньги пополам.

— Но я не хочу продавать, — возразил Гоша.

— Значит, ты должен выплатить мне половину стоимости. Пять миллионов.

— А где я возьму?

— Где хочешь. Иначе я не покажу тебе сына.

— Ты же обещала… — удивился Гоша. Он сам никогда не врал и не предполагал, что это делают другие. Каждый меряет по себе.

Вероника усмехнулась. Она его просто развела на бабки. И кинула. И ничего ей за это не будет, поскольку сделка — по обоюдному согласию.

У Вероники были свои резоны: картины не покупают, потому что не видят. Надо активно выставляться. Выставки требуют немалых денег: аренда помещения, развешивание картин, привезти-увезти.

Денег нет. Единственный источник — Гоша. Но и у Гоши нет. Остается Майка.

Гоша отправился к матери. Свободных денег в наличии не было. Майка продала свою долю Грише Новикову. Гриша стал единственным хозяином фирмы и не верил своему счастью. Бизнес — перспективный. Надо быть последней дурой, чтобы его продать. Но Майка оказалась недальновидная. Вся в мамашу. Продала бизнес, и деньги уплыли к Веронике.

Я сказала Майке:

— Старость не за горами. На что ты собираешься жить? На пенсию?

— Как все люди, — ответила Майка.

— У людей огород, куры. А что у тебя? Кот?

Майка задумалась.

— Гоша попросил, — сказала она, помолчав.

— А что ты его слушаешь? Он же подкаблучник. Под каблуком у Вероники, а Вероника бессовестная.

— Он ее любит, — угрюмо сказала Майка.

— Ну и пусть любит, если хочет. А ты при чем?

— Это я его таким родила, — глухо сказала Майка.

Она чувствовала себя виноватой и шла на поводу у своей больной совести.

Деньги Веронике были выплачены. Я полагала, что Вероника использует эти деньги с умом: купит себе мастерскую, например. Освободит себя от дорогой аренды. Но нет. Она стала устраивать выставки одну за другой, и через два года деньги кончились. У денег есть способность протекать как песок сквозь пальцы. Только что были — и пустота. А где взять новые вливания?

Вероника с сыном жила у своих родителей-пенсионеров. На родителей легла дополнительная финансовая нагрузка. Отец — бывший подводник, ездил по Москве на своей машине, подсаживал пассажиров. Зарабатывал, или, как тогда говорили, «бомбил».

Работали все, кроме Вероники. Хотя Вероника тоже работала. Каждый день уходила в свою мастерскую и трудилась в поте лица. Просто ей за это не давали денег. Она работала, но не зарабатывала. Так будет точнее.

Гоша остался без семьи. Одинок и свободен, что одно и то же.

Майка страдала. Но что она могла сделать?

— Заведи подругу, — приказала я Гоше.

— Кому я нужен? — отмахнулся Гоша.

— Одиноких женщин сколько угодно. Только свистни...

Гоша свистнул, и действительно образовалась подруга Рая, бухгалтер. Она была Гошина ровесница. Жила с шестнадцатилетним сыном Робертом. Хотела замуж. Мечтала о семье.

Рая стала наезжать к Гоше и готовить ему еду на несколько дней вперед. Особенно ей удавались голубцы, которые она называла «го́лубцы», с ударением на «о». Блюдо — сложнопостановочное, требовало много времени, но это стоило того. В постели Рая тоже старалась добросовестно. Демонстрировала все, что умела. А к сорока годам можно многому научиться, если начать с двадцати. Но вообще-то наука невелика. Чего там уметь? Надо просто любить и желать. Вот и вся наука.

Гоша устраивал Раю по принципу: плохонькое, да мое. Он был не красавец, конечно, зато скромный и надежный. Такого из рук не выхватят. Прошлый муж Раи был красивый. И что с того? Красивый муж — чужой муж.

Рая предложила Гоше не тянуть, а съехаться. Объединить две квартиры — ее двушку и Гошину полуторку, и выменять на трехкомнатную, и жить втроем, вместе с Робертом.

Гоша промолчал. Нужен ему этот Роберт. Всю жизнь мечтал. У него собственный сын, своя кровь. А тут чей-то Роберт, не пойми чей.

Гоша тосковал. Свою семью он видел только в прежнем составе: Вероника, Толик. Ради них он был готов взойти на костер и гореть заживо.

Рае казалось, что счастье близко, стоит руку протянуть. Но протянутая рука провалилась в пустоту. Гоша испарился. Рассосался. Нет его…

Вероника, освободившись от Гоши, тем не менее широко им пользовалась, как шофером, как грузчиком. Только что не платила за услуги. Наоборот — брала с него.

Вероника его обирала, эксплуатировала, унижала. И никогда ни одного доброго слова, не говоря о большем. Гоша терпел и подчинялся.

Я смотрела на него и думала: что это? Любовь? Неужели любовь может выглядеть так уродливо, так безжалостно? Может быть, в Гоше что-то не успело сформироваться в результате преждевременного рождения? Не образовался нужный ограничитель: вот досюда можно терпеть, а дальше уже нельзя. Можно все. И Вероника позволяла себе все.

Вероника ушла от Гоши в надежде встретить новую любовь. Но у любви были другие маршруты.

В моем доме раздался звонок. Это был Гоша.

— Тетя Люся, давайте продадим наше место на Ваганьковском кладбище.

— А урны куда? — поинтересовалась я. — К тебе на кухню?

— Урны можно поставить в колумбарий. Это дешевле.

Я поняла, откуда ветер веет. У Вероники кончились деньги.

Я сказала:

— Гоша, пока Вероника грабила Майку, я не вмешивалась. Это ваши семейные дела. Но если она будет наступать на мои интересы, я ее посажу.

Гоша тут же поверил и испугался. Он знал мой характер.

Веронику сажать было не за что. Сажать надо было Гошу, за соучастие. Это с его подачи Майка осталась нищей. А теперь он запустил руку в мое будущее, поскольку могила — это и есть наше реальное будущее.

— Почему Вероника не работает? — строго спросила я.

— Она работает. Она художник.

— Но она не зарабатывает, — напомнила я.

— Ну и что?

Я положила трубку. О чем говорить? Для Вероники и Гоши существовали свои ценности, а именно: розы важнее хлеба. Но ведь есть еще жизнь. И если ты не зарабатываешь, то автоматом садишься на чью-то шею и этот кто-то должен везти дополнительный груз.

Я знаю: не работают целые народы. Цыгане, например. Они гадают, воруют, устраиваются в ущерб других народов, при этом поют и пляшут.

Не работают воры в законе. Им работать западло. У этих людей своя мораль. Но у воров есть общак. А у Вероники общак — это Гоша.

Я знаю несколько молодых людей, которые не ходят на службу. Не хотят. Они не цыгане и не воры. Просто им неприятно ходить в присутствие, рано вставать, добираться в метро, видеть тех, кого не хочется видеть. Можно понять. Подобные человеческие экземпляры — не редкость. Это такие люди. Свободные. Дикие, как волки. Собаки служат и за это получают миску похлебки. А волки живут иначе: убивают и их убивают. Плата за свободу — жизнь. В чем проблема Гоши? Он любит, а любовь зла.

Майка видела, что Гоша не ест по-человечески, ходит голодный, худой, зеленый. Живет без ласки. Нужен Веронике исключительно как груша для битья.

Майка страдала до тошноты.

Если бы она не послушала в свое время Полину, не стала делать первый аборт, родила бы своевременно — здорового и полноценного, не Гошу, а Кешу. Вырос бы наглый, уверенный в себе, и Вероника бы танцевала под его дуду и боялась его потерять. Но... Майка была молодая, незрелая, послушалась Полину. А Полина не умела смотреть на десять шагов вперед. Видела только то, что перед носом. Это называется недальновидность. Грузовик № 4. Но я понимала при этом: Гоша тоже нужен в кастрюле мироздания. Без него мир стал бы более жестоким и рациональным.

Майка вышла на пенсию. Это еще не старость, но старость притаилась и время от времени выглядывала из-за горы.

У Майки стала кружиться голова. Она ждала, что пройдет само собой. Но не проходило.

Майка решила сходить в поликлинику. Она дошла до поликлиники, разделась в гардеробе и вдруг забыла: где она и зачем пришла.

Она испугалась и попросила пальто обратно, взамен на номерок. Оделась. Вышла на улицу. Вокруг была незнакомая страна, незнакомые дома, какие-то люди.

Что за страна? Что за люди? Где ее дом? Куда идти?

Майка пропала. Гоша спохватился на другой день и отправился в полицию.

В полиции сказали, что такие случаи бывают нередко. Амнезия. Старики теряют память и пропадают.

— А что же делать? — испугался Гоша.

— Ждите. Может быть, объявится. Человек не иголка.

Милиционер (сейчас они называются полицейскими) предложил написать заявление. Обозначить приметы: сколько лет, во что одета.

Гоша стал вспоминать, во что одевалась его мама: беретка, китайская пуховая куртка с капюшоном, а что еще?

Он заплакал.

Полицейский поднял брови. Это было сочувствие.

— Ты где? — рявкнула Вероника.

Гоша должен был поехать на базар и купить мешок картошки, мешок лука, десять пачек гречки и далее по списку. Не самой же ей тащить такую тяжесть. Но Гоши все не было, и это отвратительно. Вероника ненавидела опоздания и всякую необязательность. Мужчина должен быть точным.

Она позвонила ему на мобильный телефон.

— Я не приеду, — глухо сказал Гоша.

— Как это? — не поняла Вероника.

— Мама пропала.

— Что значит пропала?

— Потерялась. Ушла и не вернулась.

— И что теперь, нам сидеть без картошки?

Гоша нажал на красную кнопку. Не стал разговаривать. О чем говорить с человеком, который не в состоянии думать ни о ком, кроме себя?

Гоша стал ездить по близлежащим улицам. Двигался медленно, пристально глядя на прохожих. Он слышал, что потерявшие память превращаются в бомжей и живут в подвалах, на чердаках и на свалках.

Он решил обследовать подвалы и чердаки. Но это потом. Для начала отправился на городскую свалку, которая находилась неподалеку. Это был сказочно огромный холм. Над ним реяли чайки.

Гоша поразился. Он думал, что чайки кружат только над морем. В его представлении чайки — элегантные морские птицы, парящие на фоне голубого неба. Белое и голубое. Часть праздника: море, яхты, солнечные блики на воде.

А оказывается, чайки — просто падальщики, как вороны. Они ищут еду, и им все равно где охотиться — над морем или над свалкой. Главное — нажраться.

Одна из птиц спикировала резко вниз, выхватила из свалки что-то съедобное и взлетела обратно.

«Как Вероника», — равнодушно подумал Гоша. И тут же зазвонил мобильный телефон. Гоша посмотрел: это была Вероника. Она не любила менять свои планы. В плане была поездка на базар, и Гоша должен был отправиться на базар независимо от обстоятельств. Даже если бы объявили атомную войну, Гоша обязан был поехать за картошкой.

Телефон звонил, звонил не переставая. Вероника учитывала, что Гоша плохо слышит и хотела прорваться через его глухоту, но ничего не получалось.

Вероника решила сделать паузу. Она сидела и размышляла: что значит потерялась? Если через какое-то время Майка не найдется, она будет официально признана умершей, и Гоша сможет вступить в наследство.

Однокомнатная квартира Майки. Ее можно сдавать и оплачивать мастерскую. А можно просто переоборудовать, перетащить туда все картины, подрамники, краски, и у Вероники будет собственная бесплатная мастерская. Тридцать тысяч рублей остается в бюджете. Уже легче.

алик и адик

Городок был маленький, провинциальный, весь в садах.

Посреди города протекала речка — неширокая, но чистая и, главное, своя. Городская. Все лето в ней купались мальчишки и даже взрослые. Переплывали от одного берега до другого.

На берегу стоял зоопарк — небольшой и непредставительный. Слона в нем не было, и тигра тоже не было. А крокодил был. Его звали Алик, производное от слова «аллигатор».

Многие считали, что крокодил ненастоящий, чучело. Потому что он не двигался, все время находился в одной позе и смотрел перед собой безо всякого выражения. Глаза его были тусклые от пыли. Некоторые видели, как работница зоопарка тетя Клава протирала его глаза мокрой тряпкой. А разве возможно у живого крокодила протирать глаза? У него пасть от уха до уха и зубы, как ножи-заточки. Вся морда состоит из пасти. Он лязгнет зубами пару раз, и нет тети Клавы. Так что — конечно, чучело, муляж.

Пробовали на всякий случай кидать крокодилу лакомства. Он не реагировал. Это еще раз подтверждало: в вольере чучело, и его живот набит соломой или старыми газетами, а может, опилками.

Но однажды произошло стихийное бедствие. Где-то прорвало плотину, и город залило водой. Река вышла из берегов. Вода поднялась и подмыла зоопарк. Разрушила железную решетку вольера и вымыла Алика со своего места. Вынесла в речку.

И тогда все увидели невероятное. Алик заработал лапами, проплыл в одну сторону реки, потом в другую, потом стал кувыркаться через голову, и его хвост шумно стучал о воду. Мелькали попеременно: морда и хвост.

Далее Алик взмыл над водой по пояс, и все увидели его счастливое лицо, иначе не скажешь. Он улыбался. Зубы его были молодые и белые. А глаза горели, как два изумруда. Это был не плотоядный блеск хищника. Нет. Это было сияние счастья.

Алик развел передние лапы в разные стороны и плавно задвигался, как в ансамбле «Березка». Потом он расположил обе лапы в одну сторону на манер лезгинки и стал нарезать круги по воде.

Алик радовался, ликовал. Снова кувыркался и снова вздымал себя над водой.

Светило солнце, шел веселый грибной дождь. Весь город забыл про неудобство наводнения и высыпал на берег. Стояли по грудь в воде. Многие приплыли на лодках.

Счастье крокодила передалось людям. Счастье так же заразно, как и несчастье. Люди радовались, глядя на свободного Алика. Хоть он и аллигатор, но ведь тоже живая душа. К тому же он ничего плохого городу не сделал. Просто лежал себе и лежал, показывал свою спину из крокодиловой кожи. А сейчас у него праздник. И люди тоже радовались, хоть и вода. А вода — что? Она же не вечно будет стоять так высоко. Осядет. И уйдет.

Так и было. Плотину починили в аварийном темпе. Вода ушла.

Пожарные накинули на Алика сетку и выволокли его из реки. Вернули в вольер.

Пришли сварщики, починили решетку. И все как было: вольер, в нем крокодил Алик.

На другой день его глаза стали тусклыми, хвост неподвижно замер, на морде — никакого выражения.

И снова многие засомневались: а может, это чучело? И было невозможно себе представить, что тот крокодил, в реке, и этот, в вольере, — один и тот же экземпляр.

Эту историю рассказала мне моя бабушка, когда я была маленькая. А теперь я сама бабушка. И у меня есть внучка Даша.

Я надела на Дашу новое пальто: синее, с двумя рядами золотых пуговиц. И мы с ней отправились в зоопарк.

Первым делом мне захотелось посмотреть на крокодила. Он находился в стеклянном боксе для своей собственной безопасности, поскольку некоторые подвыпившие посетители кидали в крокодила пустые бутылки.

На боксе висела табличка с информацией: миссисипский аллигатор, подарен Советскому Союзу правительством Великобритании в 1946 году. До войны он обитал в берлинском зоопарке, а также успел побыть питомцем личного зверинца фюрера. Его имя было Сатурн, а за глаза Гитлер и Адольф, сокращенно Адик. Сейчас Адику восемьдесят пять лет.

Я смотрю на него и вижу: старик. Казалось бы, на аллигаторах возраст незаметен. Еще как заметен. Пузо висит. Подбородок висит, как будто он положил в рот кирпич.

Я вглядываюсь в его глаза под тяжелыми веками и подозреваю, что у Адика депрессия. Его ничего не радует и не интересует.

Он не обращает внимания на посетителей, лежит и грустит и, возможно, вспоминает.

Говорят, что именно Адик стал прототипом Крокодила Гены. Это маловероятно. Гена — добродушный, положительный. Добродушных крокодилов в природе не бывает, иначе зачем природа снабдила их такими зубами?

А вот грустные крокодилы бывают. И есть. Они тяжело переживают неволю и превыше всего ценят свободу.

Глаза у Адика большие и тусклые. Хочется протереть их тряпкой. Говорят, он оживляется только в тех случаях, когда слышит немецкую речь. Тогда он приподнимает голову и жадно вслушивается.

Он вслушивается в свою молодость, в то время, когда «фонтаны били голубые и розы красные росли»…

Внучка стала дергать меня за руку. Ей надоело стоять на одном месте.

Мы перешли к птицам.

В клетке сидела пара попугаев, обнявшись крыльями. Они не расставались.

Молодой парень, работник зоопарка, сыпал им корм.

— Они так и будут сидеть? — спросила я.

— У них любовь, — объяснил парень. — Это его вторая жена.

— А первая где?

— Он ее заклевал.

— До смерти? — испугалась я.

— Нет. Но пришлось их развести по разным клеткам. Они не могли ужиться.

— Почему?

— Лола была скромная, безответная. Она его раздражала. А эта, вторая, ни с кем не считается, дерется, вопит, законченная оторва. Он ее обожает.

— Все как у людей, — заметила я.

— Ну конечно. Люди — ведь это тоже животный мир.

Мы с Дашей посмотрели жирафа Самсона и слона по имени Памир.

— А кто умнее, слон или человек? — спросила Даша.

— А как ты думаешь?

— Слон. У него голова больше.

Я посмотрела на часы. Пора было возвращаться домой.

— Идем к обезьянам, — потребовала внучка.

Я не люблю обезьян за то, что они действительно человекообразные. Шарж на человека. Подчеркивают все отвратительное в человеке.

— Пойдем, — настаивала Даша. — Они меня еще не видели.

Я поняла: моя внучка приходила в зоопарк не для того, чтобы посмотреть, а чтобы показать себя в новом пальто.

Возможно, звери ее запомнят. А так как многие звери и птицы живут дольше людей, то вполне вероятно, что они узнают Дашу через двадцать лет и даже через пятьдесят, когда она придет сюда со своими внуками. Запомнят не только Дашу, но и ее пальто — синее, с золотыми пуговицами, похожее на морской китель.

аист

Боги существовали не только в Древней Греции. Они существуют и сейчас, просто люди о них ничего не знают. Пропала потребность в богах. И где они обитают — тоже не ясно. Где-то наверху. Может быть, в горах. В пещерах.

У потомка бога Аида (брата Зевса) родилась девочка. Ее назвали Ая. Ая росла медленно, но вдруг как-то — раз, и выросла, и превратилась в красивую златокудрую девушку.

Что делают родители с выросшей дочерью? Выдают замуж.

Нашли жениха по имени Оя. Последнее время боги ленились произносить длинные имена, такие как Прозерпина, Персефона, и обходились короткими, две буквы — и порядок.

Молодые поженились, и к их жилищу тут же прилетел аист. Он стал таскать детей —

одного за другим. Приволок трех девочек. Дети — прехорошенькие, но возни с ними — немерено: кормить, поить, купать, гулять, некогда было посмотреть в зеркало. А когда Ая все-таки посмотрела — пришла в ужас. Золотые кудри спутаны, лицо шелушится. От былой красоты мало что осталось.

Аист оказался прожорливый и жрал, как взрослый мужик. Ая выносила ему еду, просила повременить с детьми, но аист и слушать не хотел. Он так жил. Кушал в свое удовольствие и летал за детьми на длинные расстояния. На дорогу туда и обратно уходило девять месяцев. Дети попадались тяжелые, по четыре килограмма, и он нес их к Ае, ухватив клювиком за рубашку. Откуда рубашка? Не уточняется. Боги. У них дети рождаются в рубашках.

Оя не помогал жене. Его любимое занятие — объезжать диких лошадей. Он отправлялся на зеленые склоны, где паслись дикие лошади, вскакивал на ту, что была поближе к нему, зажимал коленями ее бока, и — вперед, пригнувшись к холке. И не было большей радости, чем скорость и ветер в лицо. Ветер отдувал его длинные волосы, обвевал красивое тело. Лошадь норовила сбросить седока, лошадь жаждала свободы. Но не так-то просто сбросить бога. И в результате лошадь подчинялась бесстрашному седоку.

Оя приходил домой победителем. От него пахло конским потом и ветром. Ая любила этот запах, крепко обнимала мужа, а от объятий тоже рождаются дети.

Аист раскидывал крылья — и в дорогу, за очередным ребенком. В последнее время он приносил мальчиков.

В один прекрасный день Ая сказала:

— Всё! Мне надоело. На Земле столько чудес, а я ничего не вижу, кроме закаканных детских попок!

Ая вытащила из хитона золотую нитку, крепко замотала аисту клюв, завязала на бантик. Получилось очень красиво.

У аиста глаза стали круглые и удивленные.

— Я планирую свое деторождение, — объяснила Ая.

— Но как можно планировать непланируемое? — успел спросить аист.

Ая не ответила. Не сочла нужным. Она заставила Ою пойти к водопаду и хорошенько вымыться, убрать все лошадиные запахи.

Потом расчесала свои золотые кудри и снова стала молодая богиня.

Ая и Оя решили вдвоем отправиться на Землю и путешествовать. Надоело изо дня в день, из года в год видеть одно и то же, даже если эта одинаковость прекрасна: цветущие луга, глаза лошадей, синий купол неба и золотые хитоны богов.

Перемещались очень просто. У них были кнопочные пульты. Нажмешь кнопку — и ты в нужном месте. Так земляне переключают телевизионные программы.

Ая и Оя нажали кнопку и увидели себя в большом городе. На земле стояло лето, и все молодые люди были одеты примерно одинаково: джинсы и свободные майки.

Ая и Оя вошли в большой магазин и выбрали себе джинсы и майки.

Зашли в примерочную, сняли хитоны и сандалии, но не выбросили. Сунули в дорожную сумку. Переоделись и переобулись.

На майке Ои было написано «Олимпиада» — знакомое богам слово. А на майке Аи — какое-то незнакомое слово «Интернешнл».

Ая подумала, что когда они вернутся домой, то эту майку она подарит аисту. Будет аист Интернешнл. А то у него, бедного, даже имени нет. Несправедливо. Ая и Оя вышли из магазина.

Мельтешили люди, сплошным потоком шли машины, духота.

Оя нажал на пульт, и они оказались в тишине и белом безмолвии. Вокруг — Антарктика. Океан. Лежбище тюленей.

Тюлени лежали на снегу, как серые мешки и наслаждались совместным пребыванием.

Время от времени какой-нибудь один тюлень поднимался и неуклюже ковылял к океану. Потом он рушился в воду и ловко плыл. В воде все работало гармонично и слаженно. Значит, изначально тюлень был замыслен для воды, а не для земли.

Ая и Оя замерли от этой суровой черно-белой картины. Только три краски: черное, белое, серое.

Они завернулись в хитоны и легли среди тюленей. Тюлени спокойно восприняли чужое присутствие. У них была своя жизненная программа и всякое беспокойство, всякая достоевщина была им несвойственна и даже чужда.

Спустилась полярная ночь. Небо озарилось северным сиянием. Ая и Оя лежали как будто внутри драгоценного камня. Свечение постоянно меняло орнамент.

Ая не заметила, как заснула. Ночью ее немножко придавил тюлень. Его тело было лакированным и гладким, как рояль, и пахло океаном.

Ая не отодвинулась. Ей спокойно было чувствовать себя в стаде. Стадо — это семья. А семья — это защита. Все-таки хорошо, что у нее орава детей.

На другой день Ая и Оя переместились в Венецию.

Лежбище тюленей — это часть природы. А Венеция — рукотворное создание человека. Улицы — каналы, гондолы — транспорт.

аист

Дома стояли по брюхо в воде. Гондольеры в шляпах вопили неаполитанские песни.

Оя ни за что не согласился бы жить в таком доме: сырость, плесень и улитки на стенах. Но его никто и не приглашал.

Особенность Венеции — карнавальная обстановка. Людей — потоки, толпы, и всем весело, все радуются. Невольно заражаешься праздничной энергией и улыбаешься во весь рот. А чему? Всему. Тому, что ты молод, жив, здоров, сыт. А если голоден, то скоро поешь. Если молод — не постареешь никогда. Если стар — никогда не умрешь. Жизнь вечна.

Всегда, всегда будет легко и весело, как сегодня. А иначе — зачем Венеция?

Но сколько можно ходить вот так — рот до ушей? Ну, месяц. А потом хочется новых впечатлений.

Индия. Чудо света Тадж-Махал. Это мавзолей-мечеть, находящийся в Агре, на берегу реки Джамна.

Экскурсовод рассказал, что этот мавзолей построили во времена империи Великих Моголов по приказу потомка Тамерлана в память о любимой жене Мумтаз-Махал. Она умерла при родах четырнадцатого ребенка.

Мавзолей выполнен из полированного полупрозрачного мрамора. Позже здесь был похоронен муж Мумтаз-Махал. Его имя Шах-Джахан.

— Тебе понятно, почему она умерла? — тихо спросила Ая.

— При родах, — ответил Оя.

— Этот Шах-Джахан ее просто затрахал. Четырнадцать детей, представляешь? Четырнадцать беременностей одна за другой. Кто выдержит?

— Любил, — объяснил Оя.

— Залюбил до смерти, — уточнила Ая.

— Зато смотри, какой дворец...

— Кому нужен дворец на том свете...

После экскурсии Ая и Оя гуляли по Агре. Мавзолей в течение суток менял цвета: на заре он был розовый, днем — белый, а при луне — серебристый.

Дворец был великолепен и неподвластен времени, как сама любовь. Может быть, действительно бедной Мумтаз-Махал надо было умереть, чтобы вместо себя оставить это чудо света?

Ночевали на улице рядом с мавзолеем Мумтаз-Махал. В Индии тепло. Спать на улице — не проблема. Вокруг, как лежбище тюленей, спали бездомные индийцы.

Ая смотрела на мавзолей. Купол под луной серебрился. Ая подумала: «У людей существуют специальные противозачаточные таблетки, которые совершенно не вредят здоровью. Если бы эта Мумтаз пользовалась таблетками, она бы не умерла. У нее было бы все: и дети, и дворец, и любовь».

аист

Ночью Ае приснились дети. Они тянули к ней ручки и зареванные мордочки.

Ая проснулась и поняла, что она хочет домой. Хорошо путешествовать, менять картинки перед глазами, но главная картинка — это дети. И нет картинки прекраснее.

Оя соскучился по своим диким лошадям, по скорости и ветру в лицо, но главное — по самому себе.

Здесь, среди людей, он себе не принадлежал.

«Невозможно жить в обществе и быть свободным от общества». Эти слова принадлежали земному человеку. Кому? Он не знал. Богам все знать необязательно.

Ая и Оя вернулись домой. Ая тут же размотала клюв аисту и подарила ему майку. Аист тут же постелил майку на дно гнезда. Гнездо было большое и круглое, как колесо от телеги.

Боги ездили на колесницах, но это те же телеги.

Аист подарил еще одного ребенка и сказал:

— Теперь всё...

Он сложил в майку свои пожитки: тарелку, кружку.

— Ты куда? — спросила Ая.

— Твой дом не перспективный, — ответил аист. — Детородный период имеет свой срок. Твой срок вышел.

— Сарра родила Аврааму в девяносто лет, а мне только сорок, — возразила Ая.

— Ну, вспомнила Всемирный потоп. Когда это было? Четыре тысячи лет назад.

— При чем тут Всемирный потоп? — не поняла Ая.

— Авраам — потомок Ноя. Не знала? Потому что необразованная.

— Богам широкое образование необязательно. Боги — узкие специалисты. Как и врачи. Например, Зевс — специалист по небу, Нептун — по морю, Аид — по царству мертвых.

— А ты вообще домохозяйка.

— Ну ты свинья, — обиделась Ая.

— Я не свинья. Я птица. А птицу удержать невозможно. Планировать мой полет ты не можешь. Нельзя планировать непланируемое.

Аист взлетел.

Ая смотрела ему вслед. Он принес ей трех мальчиков и трех девочек.

Мальчики были златокудрые, похожие на мать. В коротких золотых хитонах. Ангелы. А девочки похожи на отца: темноволосые, стройные, гибкие.

Старшая уже выросла и скоро к ней прилетит аист — другой или тот же самый. Ая узнает его по знакомой майке.

очерки

рецензия на книгу молодого автора

Книга написана в виде лекций, как самоучитель игры на фортепиано.

Определенную информацию по самоучителю получить можно, но хорошо играть не будешь. Шопена не сыграешь.

Молодой автор (назовем его Лелик) — безусловно талантлив, с активной энергетикой. Язык современный, запас слов — неисчерпаемый. Читается легко и увлекательно. Позиция автора небезынтересна: «Ведите себя как животные, но не забывайте, что вы — люди».

Автор, судя по всему, молодой мужчина, который бегает с дымящимся пенисом, и в его голове — одной лишь думы власть: как можно скорее пристроить свой пенис в нужное место. А лицемерные девушки не пускают в свой рай, стоят, прикрывшись обеими ладошками. Тянут. Торгуются. Хотят каких-то гарантий.

Пафос автора: девушки, раскиньте руки, как крылья, пустите в свой рай, и мы вместе полетим в едином оргазме…

А девушки тормозят. А юноше надо быстро и сейчас. Он, как жаждущий в пустыне, хочет ведро воды.

Автор с осуждением напоминает о пережитках прошлого: мазали ворота дегтем. Но ведь не просто так мазали. Какая-то причина была… Попробуем разобраться.

Главная задача природы — размножение, поэтому инстинкт продолжения рода самый мощный. Однако функции у мужчин и женщин разные.

Задача мужчин осеменить как можно большее количество особей. При этом мужчина ни за что не отвечает, получил оргазм — и в сторону.

А женщина может «залететь», как сейчас говорят, тогда у нее выбор: либо аборт, либо ребенок без отца. Первое и второе калечит жизнь.

Автор мне возразит — существует контрацепция. Это так. Может все обойтись. Но может и нет. Риск. Поэтому девушки осторожны, и воздержание с давних времен стало синонимом нравственности.

Лелик призывает к раскрепощению. Если девушке нравится парень, почему надо себе запрещать? Зачем тянуть?

Я подумала: может, я устарела? Я решила спросить у юной современной девушки.

Я посадила перед собой девятнадцатилетнюю красавицу и задала вопрос:

— Если симпатичный парень предлагает тебе секс сразу после знакомства, ты соглашаешься или нет?

— Так это моя проблема с Васей. Он тянет меня в постель, а я не иду.

— Почему?

— Потому что я хочу взаимоотношений. Я хочу роман. Я хочу быть любимой, а не унитазом.

Точка зрения девушки не меняется кардинально, в какие бы времена она ни жила.

Мужчина при половом контакте может обойтись только низом, а женщина подключает еще и верх. Душу. Поэтому для женщины сложнее переступить через моральные барьеры, если она не проститутка, конечно.

Хочется посоветовать автору: если приспичило, иди к проститутке. Плати. И все разрешится быстро и по-честному. А если не хочешь продажную женщину — вертись и преодолевай секс-разногласия. Может быть, эти разногласия и есть соль жизни, ее горячее дыхание.

Мне иногда кажется, что неплохо вернуть публичные дома, сделать их легальными, как в девятнадцатом веке, и не преследовать проституток, не сгребать их в «обезьянник», как это делает полиция. Публичные дома сохраняют семьи, так как сбрасывают мужское напряжение.

Общество развивается, идет вперед. Контрацепция совершенствуется, и, возможно, автор предвидит новые процессы, новую сексуальную революцию. Возможно, он — пионер в сексуальном прорыве, как братья Люмьер в кинематографе.

Я готова полемизировать с автором, но в книге есть безусловно полезная рекомендация: уважение друг к другу. Лелик имеет в виду мужчину и женщину, мужа и жену.

Я расширила бы эту позицию. Уважение — как основа общества. Как общенациональная идея.

Россия имеет высочайшие пики культуры — такие как Толстой, Достоевский, Чайковский, Андрей Рублев, — не перечесть. Но общий культурный уровень толпы ниже низшего предела. Особенно это заметно в телевизионных передачах «Пусть говорят». Демонстрируется открытое, откровенное хамство.

В Чехии, например, очень мало вершин: Чапек, Гашек, Дворжак. Раз, два — и обчелся. Но именно общекультурный уровень толпы очень высок. Там комфортно ходить по улицам, ездить в общественном транспорте. Царит всеобщее взаимоуважение.

Настоящих русских аристократов я видела в Париже. Это наследники тех, кто в семнадцатом году сбежал от революции. Какие лица, какие манеры... Становится понятно, как выглядели герои Толстого, как они общались.

В рассказе Толстого «Кавказский пленник» два русских офицера сидят в чеченском плену. Жилин и Костылин. Они сидят в яме грязные, униженные, тут же испражняются. Но сколько уважения друг к другу. Они обращаются один к другому на «вы» и, попав в положение зверей, не теряют человеческого достоинства.

Революция семнадцатого года породила Шариковых, и теперь мы имеем наследие — детей, внуков и правнуков Шариковых.

Из картошки ананаса не вырастет, поэтому общество пропитано хамством. Оно везде.

Каждый современный человек должен по капле выдавливать из себя хама, и помогать должна школа. Должна быть дисциплина, которая учит людей коммуникации, правильному общению между собой. Этому в нашем обществе никто не учит, каждый постигает самостоятельно или не постигает вообще.

Автор пишет об этом в начале книги как бы между прочим, но это очень нужная и продуктивная мысль. Человек с детства должен опираться на уважение к себе и другим, тогда наше общество преобразится.

Во время прочтения этой книги меня посещали самые противоположные чувства. Но, по большому счету, все зависит от того, как договорится общество.

Первобытные люди ходили голые. Потом они договорились между собой и надели набедренные повязки. Почему? Низ плохо пахнет и выглядит не очень. Лицо лучше.

Далее договорились, что испражняться лучше не там, где ешь. Стали отходить в сторону.

Далее, через много веков, стали вывешивать на обозрение простынь невесты после первой брачной ночи.

Зачем? Удостовериться в том, что девушка целомудренна и, значит, будущий муж не будет кормить чужого ребенка.

Последние десятилетия: появилась контрацепция и многие табу были сняты за ненадобностью. Например, девушка и парень вместе живут до свадьбы, проверяют свои чувства. А всего пятьдесят лет назад, даже меньше, потерять девственность до официального брака — позор, катастрофа, проклятие.

Табу падают одно за другим. И вполне возможно, что Лелик как петух, который кукарекает рассвет, или как соловей, возвещающий начало нового дня, — провозглашает новые секс-отношения, а именно секс-солидарность.

рецензия на книгу молодого автора

Автор позиционирует себя как тридцатилетнего мужчину в самом цвету. Он несется по жизни, как веселый щенок, махая хвостом и скалясь молодыми белыми зубами. Хорошо!

Но когда-нибудь, и довольно скоро, он станет старым псом и будет помнить только то, что коснулось его души: любовь, нежность, верность. А ощущения от оргазма, как стакан воды в жаркий день, — забудутся.

Чувственная память долго не держится. Кто же долго помнит вкус воды?

мой чехов

Наши классики — Лев Толстой, Федор Достоевский, Антон Чехов.

С кем из них я сегодня хотела бы встретиться и поговорить?

Лев Толстой — учитель жизни. Он привык, что к нему толпами шли ходоки, и он внушал им свои истины. Наверняка повторялся. Истины не могут быть каждый день новые.

Я постеснялась бы встречаться с ним. Лев Николаевич меня бы подавлял своим величием.

Достоевский — игрок. Игромания — та же самая зависимость, что от алкоголя или наркоты. Это — болезнь.

Достоевский вытаскивал из глубины души, из ее больных слоев выковыривал человеческую гнильцу, клал на ладонь и внимательно изучал.

Гнильца есть в каждом, отсюда такой интерес к Достоевскому. Человеку интересна правда. А правда — это узнавание.

Восхищаясь могучим даром Достоевского, я не хотела бы встречаться с ним лично. Я направлена на позитив, хотя пристукнуть старушку топором иногда очень хочется.

Поклонники Достоевского забросают меня камнями. Я их пойму.

А вот к Чехову я бы помчалась. Есть что послушать, есть на что посмотреть.

Чехов — красивый. Он нравится мне физически, как мужчина. У него прекрасное лицо, одежда, душа и мысли.

Я старалась бы больше молчать, чтобы не сморозить банальность. Я бы только слушала и смотрела восторженными глазами и хотела бы сделать для него что-то полезное, например: вымыть полы, протянуть в коробочке антибиотики, «Сумамед» например. Тогда бы Антон Павлович жил еще пятьдесят лет, как его сестра Мария Павловна.

Сегодня туберкулез — не проблема.

И Пушкин бы выжил после дуэли — элементарная операция.

Писателем не становятся. Писателем рождаются.

Если бы можно было стать большим писателем в результате усидчивого труда, то классиков оказалось бы навалом. А их — единицы. Два-три классика на сто лет. А таких, как Пушкин, — никогда.

Зачем нужен писатель? Он помогает людям осмыслить жизнь вокруг себя. Во все времена люди сеяли хлеб, а кто-то один стоял и смотрел в небо. И те, кто сеял хлеб, кормили того одного, который смотрел в небо.

Откуда берется писатель?

Мне кажется, что Бог закладывает в кого-то дискету (выбор произвольный), и этот кто-то рождается с дискетой, но не знает об этом. Живет себе и живет, ничего не подозревая. Но вдруг в один прекрасный день происходит подключение к космической розетке. Дискета заработала. Это может произойти в любом возрасте. Писательница И. Грекова начала в пятьдесят лет. Татьяна Толстая — в тридцать семь лет. А я — в двадцать шесть.

В Сергее Довлатове писатель проснулся на зоне, где он служил в ВОХРе.

Как это случилось: прибежал охранник и сообщил, что «возле шестого барака кирная баба лежит». Все свободные охранники устремились к шестому бараку. Довлатов тоже пошел, хотя не сразу. Общение с кирной бабой написано без подробностей, просто указано, что он оцарапал себе щеку ее железной брошкой. Остальное можно домыслить.

Когда Довлатов вернулся, сел к столу и записал свое первое предложение к первому в своей жизни рассказу, в нем проснулся писатель. Как говорила Анна Ахматова, «когда б вы знали, из какого сора растут стихи».

В случае Сергея Довлатова именно из сора и грязи вырос его первый сборник «Зона».

Я — не критик, но для меня лично Довлатов — классик. Он сказал о своем времени самое важное и определяющее. Его герои страдают не меньше, чем герои Солженицына, но они «горят в более веселом аду».

О Довлатове можно сказать пушкинскими словами: «И долго буду тем любезен я народу, что чувства добрые я лирой пробуждал, что в мой жестокий век восславил я свободу и милость к падшим призывал».

Три позиции: чувства добрые, восславил свободу, милость к падшим. Все это представлено в творчестве Довлатова. При жизни он не мог пробиться к признанию, но его посмертная слава была ошеломительной.

«Народ собирается там, где что-то происходит, и никогда не собирается там, где ничего не происходит». Жванецкий.

Вся Россия кинулась читать Довлатова почему? Потому что здесь что-то происходит. Что именно? Большой талант, переходящий в гениальность.

Может быть, я преувеличиваю Довлатова. А может быть — преуменьшаю. Когда-нибудь он будет назван классиком вместе с такими именами, как Достоевский и Чехов.

Хочется рассказать еще об одном писателе, о его подключении к космической розетке. Это — Юрий Рытхэу. Его подключил к космической розетке Гоголь. Он был ушиблен Гоголем. Его ударило, как шаровой молнией. Я об этом уже рассказывала. Николай Васильевич Гоголь оказался с Рытхэу на одной волне. Это знакомство с Гоголем случилось в интернате, где учился Рытхэу.

Рытхэу захотел учиться дальше. После интерната он собрался в Ленинград (ныне Петербург), чтобы поступить в Ленинградский университет.

Пришел корабль. Рытхэу прибежал на корабль. Капитан спросил:

— Как тебя зовут?

— Рытхэу.

— Это фамилия, — догадался капитан. — А имя и отчество?

— У меня нет, только Рытхэу, и все.

«Рытхэу» в дословном переводе — «лишний». Его мать забеременела случайно и некстати, она не хотела нового ребенка, поэтому при рождении его назвали «лишний». Имя и отчество у чукчей не принято.

— Я не могу тебя взять на корабль, — сказал капитан. — Нужны полные данные.

Рытхэу заплакал и побежал к директору интерната.

— Что случилось? — испугался директор.

— Меня не берут на корабль, потому что у меня нет имени-отчества...

Рытхэу зарыдал безутешно.

— Возьми мое имя-отчество, — нашел выход директор. — Будешь Юрий Сергеевич.

Рытхэу вытаращил свои узкие глаза.

— А ты? — ошеломленно спросил Рытхэу.

В его представлении: директор отдает свое имя и отчество как свою индивидуальность. Отдаст, а сам с чем останется?

С тех пор появился Юрий Рытхэу, сначала студент, потом знаменитый писатель, единственный писатель-чукча. Может быть, не единственный, но лучший. Всемирно известный.

Мне было одиннадцать лет, когда мама прочитала мне рассказ Чехова «Скрипка Ротшильда».

Маршак говорил: «Каждому талантливому писателю нужен талантливый читатель».

Моя мать была талантливым читателем, она слышала чужой талант, поскольку обладала внутренним слухом на настоящее.

Видимо, моей маме этот рассказ очень нравился. Она прочитала его так неравнодушно, что во мне что-то вздрогнуло и зазвучало. Герой рассказа — гробовщик Бронза. Бронза был талантливым скрипачом, а его профессия — делать гробы. Талант человека был задавлен грубой повседневностью. И сам Бронза стал грубым. Бытие определяет сознание.

Мой Чехов начинается с того периода, когда он написал «Скрипку Ротшильда». Свои первые рассказы Чехов писал под псевдонимом Чехонте. Это были короткие юморески, их проходят в школе, непонятно зачем. Настоящий великий Чехов начался гораздо позже, когда Антон Павлович уже болел и знал, что умрет. Видимо, это знание все обостряет в человеке. Происходит перекаливание лампы перед концом. Перед тем как перегореть, лампа накаляется до предела.

В роду Чеховых было проклятие: чахотка. Мужчинам она передавалась по наследству, а женщинам — нет. Те, кому удалось избежать (сестра Мария Павловна), жили почти до ста лет. А брат Антона Павловича Николай умер в тридцать лет. И сам Чехов тоже умер в сорок четыре года.

Его друг Игнатий Потапенко писал о нем: «А себя он не лечил вовсе. Странно, непостижимо относился он к своему здоровью. Жизнь любил он каждой каплей своей крови и страстно хотел жить, а о здоровье почти не заботился».

На то может быть несколько причин.

1. Чехов был врач и знал, что с чахоткой бороться бессмысленно, и не хотел обременять собой других людей. Тогда еще не было

антибиотиков — и диагноз «чахотка» означал приговор.

2. Антон Павлович был фаталист. Надеялся на чудо. Человеческая психика так устроена, что человек отторгает от себя тяжелые мысли.

3. Профессия. Если голова забита мыслями о скорой смерти, не сможешь писать. Ни о чем другом не будешь думать.

Чехов происходил из низкого сословия. Его прадед был крепостным. Фамилия прадеда — Чех. Чеховыми они стали позже.

Отец имел лавку бакалейных товаров, заставлял сыновей торговать. Был скор на руку. Грубый, тяжелый человек. Антон рано познал отцовское хамство и жлобство и возненавидел эти проявления всей душой. «Я по капле выдавливал из себя раба», — пишет он. Что это значит? Не бояться, не унижаться, не приспосабливаться. Сохранять достоинство в любых обстоятельствах.

Известно его письмо:

«Воспитанные люди, по моему мнению, должны удовлетворять следующим условиям:

1. Они уважают человеческую личность, а потому всегда снисходительны, мягки, вежливы, уступчивы... Они не бунтуют из-за молотка или пропавшей резинки; живя с кем-нибудь, они не делают из этого одолжения, а уходя, не говорят: с вами жить нельзя!

Они прощают и шум, и холод, и пережаренное мясо, и остроты, и присутствие в их жилье посторонних...

2. Они сострадательны не к одним только нищим и кошкам. Они болеют душой и от того, чего не увидишь простым глазом. Так, например, если Петр знает, что отец и мать седеют от тоски и ночей не спят, благодаря тому что они редко видят Петра (а если видят, то пьяным), то он поспешит к ним и наплюет на водку. Они ночей не спят, чтобы помогать Полежаевым, платить за братьев-студентов, одевать мать...

3. Они уважают чужую собственность, а потому и платят долги.

4. Они чистосердечны и боятся лжи, как огня. Не лгут они даже в пустяках. Ложь оскорбительна для слушателя и опошляет в его глазах говорящего. Они не рисуются, держат себя на улице так же, как дома, не пускают пыли в глаза меньшей братии... Они не болтливы и не лезут с откровенностями, когда их не спрашивают... Из уважения к чужим ушам, они чаще молчат.

5. Они не уничижают себя с тою целью, чтобы вызвать в другом сочувствие. Они не играют на струнах чужих душ, чтоб в ответ им вздыхали и нянчились с ними. Они не говорят: "Меня не понимают!" или: "Я разменялся на мелкую монету! Я б...!!", потому что всё это бьет на дешевый эффект, пошло, старо, фальшиво...

6. Они не суетны. Их не занимают такие фальшивые бриллианты, как знакомства с знаменитостями, рукопожатие пьяного Плевако, восторг встречного в Salon'е, известность по портерным... Они смеются над фразой: “Я представитель печати!!”, которая к лицу только Родзевичам и Левенбергам. Делая на грош, они не носятся со своей папкой на сто рублей и не хвастают тем, что их пустили туда, куда других не пустили... Истинные таланты всегда сидят в потёмках, в толпе, подальше от выставки... Даже Крылов сказал, что пустую бочку слышнее, чем полную...

7. Если они имеют в себе талант, то уважают его. Они жертвуют для него покоем, женщинами, вином, суетой... Они горды своим талантом. Так, они не пьянствуют с надзирателями мещанского училища и с гостями Скворцова, сознавая, что они призваны не жить с ними, а воспитывающе влиять на них. К тому же они брезгливы...

8. Они воспитывают в себе эстетику. Они не могут уснуть в одежде, видеть на стене щели с клопами, дышать дрянным воздухом, шагать по оплеванному полу, питаться из керосинки. Они стараются возможно укротить и облагородить половой инстинкт... Спать с бабой, дышать ей в рот... выносить ее логику, не отходить от нее ни на шаг — и все это из-за чего! Воспитанные же в этом отношении не так кухонны. Им нужны от женщины

не постель, не лошадиный пот... не ум, выражающийся в уменье надуть фальшивой беременностью и лгать без устали... Им, особливо художникам, нужны свежесть, изящество, человечность, способность быть не... а матерью... Они не трескают походя водку, не нюхают шкафов, ибо они знают, что они не свиньи. Пьют они только, когда свободны, при случае... Ибо им нужна mens sana in corpore sano (здоровый дух в здоровом теле). И т.д.

Таковы воспитанные...

Чтобы воспитаться и не стоять ниже уровня среды, в которую попал, недостаточно прочесть только Пикквика и вызубрить монолог из "Фауста". Недостаточно сесть на извозчика и поехать на Якиманку, чтобы через неделю удрать оттуда...

Тут нужны беспрерывный дневной и ночной труд, вечное чтение, штудировка, воля... Тут дорог каждый час... Поездки на Якиманку и обратно не помогут. Надо смело плюнуть и резко рвануть... Иди к нам, разбей графин с водкой и ложись читать... хотя бы Тургенева, которого ты не читал...

...самолюбие надо бросить, ибо ты не маленький... 30 лет скоро!

Пора! Жду...

Все мы ждем...»

Это письмо должен каждый повесить перед глазами и выучить его наизусть как «Отче наш». Это письмо надо проходить в школе.

Мы советские и постсоветские «совки» тоже впитали в себя совковую рабскую мораль. Нам свойственно долготерпение, осторожность, страх перед начальством. Мы также самоутверждаемся — фотографируемся со статусными фигурами и ставим фотографии на видное место. Нам также свойственно подавлять слабого. Мало что изменилось за сто лет, которые прошли после смерти Чехова. И сегодня нам также необходимо по капле выдавливать из себя раба.

Чехов ненавидел пошлость. «Пошлый» в буквальном смысле — «обычный». Обыденность, скука — вот что убивает в человеке человеческое.

Разве это не современно? Разве Чехов не созвучен сегодняшнему дню?

Сестра Антона Павловича Маша была влюблена в Бунина. Можно понять: красавец, талант. Но Бунин не откликнулся на ее чувства, поскольку Маша была из низкого сословия, а Бунин — дворянин. Это имело значение.

Революция стерла грань между сословиями. Более того, «их благородием» было опасно оставаться. Почетно быть рабочим и крестьянином-бедняком. Какое счастье, что Чехов умер в 1904 году и не дожил до 17-го. И не видел всего того мрака, в который погрузилась страна.

Однако новые веяния уже проникали в чеховское творчество: рассказ «Невеста», пьеса «Вишневый сад».

Лопахин покупает вишневый сад. Приходит время Лопахиных.

А кто он, этот Лопахин? Его дед был крепостным, как и у Антона Павловича. Деятельные Лопахины вытесняют вялых господ, которые ни на что не способны, а только сидят и разглагольствуют: «Многоуважаемый шкаф...»

Лопахин — новый русский, подобный тем, что пришли в 90-е годы после перестройки.

Лопахин не ждет, когда Раневская соберет свои пожитки и отправится в Париж к своему любовнику. Он начинает вырубать сад прямо при ней. Слышен стук топора. Лопахину некогда. Ранее он давал Раневской дельные советы: как спасти имение. Надо вырубить вишневый сад и сдавать участки в аренду. Но Раневская хваталась за голову: как можно вырубить вишневый сад? И что же? Она потеряла все и обрекла свою дочь Аню на полную нищету. Аня следом за Петей уходит в революцию. А мы, сегодняшние, знаем, что это такое.

Чехов испытывал к Раневской смешанные чувства: сочувствие, нежность, осуждение. Лично мне Раневская отвратительна: безответственная, жадная. Она несколько раз повторяет слугам: «Я дала рубль — это на троих». Забыли Фирса. Почему? Потому что для нее люди — мусор. Для нее важны только собственные интересы.

Чехов — поразительно современен. Главное, на что направлена его проповедь, — человеческое достоинство. Всегда, в любых обстоятельствах. И даже в минуту смерти.

Чехов был красив.

Молодой Чехов — просто прекрасен. Главное достоинство его лица — покой. Спокойное лицо с теплым, всепонимающим взглядом. Такие лица бывают у верующих, когда нутро не раздирают страсти. Он все понимает и принимает.

Известен роман Чехова с Ликой Мизиновой — красавицей с соболиными бровями.

Лика (Лидия) любила Чехова, а он любил ее, но тянул кота за хвост, медлил. Типичный мужской страх женитьбы. Он ее передержал, и Лика сбежала к Игнатию Потапенко. Произошло примерно то же самое, что в пьесе «Чайка». Лика послужила прообразом Нины Заречной. Потапенко — прообраз писателя Тригорина. Однако Тригорина Чехов списал немножко с себя. Вот слова Тригорина… «Нет мне покоя от самого себя, и я чувствую, что съедаю собственную жизнь, что для меда, который я отдаю кому-то в пространство, я обираю пыль с лучших своих цветов, рву самые цветы, топчу их корни. Разве я не сумасшедший? А как умру, знакомые, проходя мимо могилы, будут говорить: “Здесь лежит Тригорин. Хороший был писатель, но он писал хуже Тургенева...”».

Что такое писатель? Раб своей профессии. Счастливое рабство.

Потапенко как таковой был посредственным писателем. Во всяком случае, до наших времен его книги не дошли.

Антон Павлович женился на Ольге Книппер — актрисе МХАТа. Почему на ней, а не на Лике? Лика была красивее и больше любила Чехова, чем Ольга Книппер.

Книппер вышла за Чехова по расчету. Она была любовницей Немировича-Данченко, который был каменно женат, и у Ольги не было с ним никаких брачных перспектив. Она вышла за больного Чехова, поскольку Чехов — имя и можно было крутить роман с Немировичем на равных. Он — женат, она — замужем. Никому не обидно. У Чехова никакого расчета не было. Он был немножко сноб. Ему льстило, что Ольга не просто молодая женщина, а талантливая актриса, яркая личность, это интересно.

Книппер оказалась неплохим менеджером. Пристроила Чехова к доходам театра, он имел акции.

В сорок четыре года Чехов выглядел как старик. Туберкулез делал свою разрушительную работу.

Антон Павлович не покидал Ялту, а Ольга не покидала Москву, МХАТ. Они писали друг другу письма. Письма полны дружеского участия, но это все равно — только письма.

Постоянно рядом с Антоном Павловичем находилась его сестра Маша. У Маши не было своей жизни, она жила жизнью брата. Он завещал ей почти все имущество и доходы от переизданий.

Став женой Чехова, Ольга не порвала с Немировичем-Данченко и практически не скрывала этой связи. Однажды они явились домой в пять утра. Увидев, что Чехов не спит, Ольга произнесла: «Ты не ложился, дуся? Тебе вредно». И вышла из комнаты, шурша атласными юбками. Антон Павлович посмотрел на сестру и сказал: «Умирать пора».

Умер он в немецком городе Баденвайлере. Поехал в Германию лечиться. Книппер отправилась с ним и, чтобы не терять времени, поставила себе зубы. Стоматология в Германии была лучше, чем в России. Как и теперь.

Я усматриваю в этом поступке равнодушие к Чехову. Если бы Книппер его любила, не могла бы ни о чем больше думать. Умирает любимый человек. Какие зубы?

Книппер, видимо, привыкла к мысли о скорой смерти мужа, и они с Немировичем просто ждали финала.

По воспоминаниям недоброжелателей, Немирович был бездарный и пустой как орех. А Чехов, даже умирающий, — это Моцарт.

Умирая, он произнес: «Их штербе». В переводе с немецкого: «Я умираю». Кто-то из биографов Чехова предположил: Чехов произнес, обращаясь к жене: «Ты стерва».

Это, конечно, неправда. Чехов был деликатным человеком и не мог позволить себе ничего подобного. Но биограф, видимо, не любил Книппер, и это можно понять.

Гроб Чехова везли из Германии по железной дороге в вагоне из-под устриц.

Критика усматривала в этом пошлость. Дескать, Чехов всю жизнь боролся с пошлостью и вот сам стал жертвой пошлости: вагон из-под устриц. Я считаю, что это суждение — глупость. Везли не Чехова, а его тело. А тело нуждается в холоде, равно как и устрицы.

Чехов писал в письме своему брату: «Хорош божий свет. Одно только нехорошо — мы. Как мало в нас справедливости и смирения. Вместо знаний — нахальство и самомнение паче меры, вместо труда — лень и свинство, справедливости нет... Работать надо... Главное — надо быть справедливым, а остальное все приложится».

Чехов всю жизнь выдавливал из себя раба, контролировал, воспитывал себя и в конце концов стал тем же, что и его герои — доктор Астров, дядя Ваня, Гуров из «Дамы с собачкой». Эти люди благородны, сдержанны. Астров бережет лес, Гуров впервые познает глубокое чувство. Для меня высшая похвала артисту и человеку — чеховский герой.

Станислав Любшин — чеховский герой, Алексей Баталов — чеховский герой, а Никита Михалков — нет. Никита Михалков щедро одарен природой, но он царь горы, Карабас-Барабас, хозяин жизни. А Чехов — совсем другой. Он и умер в середине жизни. Но как много он успел. В сущности, он успел ВСЁ. Он передал в мир месседж своей индивидуальности, подарил миру свое имя-отчество — Антон Павлович.

Чехов — мой мастер. Я у него училась и учусь до сих пор. Многие чеховские выражения вошли в мою повседневность. Например:

«Если бы Каштанка была человеком, она подумала бы: “Нет, так жить невозможно, лучше застрелиться”» («Каштанка»).

Я говорю это в тех случаях, когда мне что-нибудь активно не нравится.

«Ешьте, мамаша, не сумлевайтесь…» (рассказ «В овраге»).

Я говорю это гостям за обеденным столом.

«Уехали, уехали…»

Я произношу это в том случае, когда гости разошлись.

«Морщится, как кошка, которая с голоду ест огурцы на огороде».

«Просили тебя нюхать?»

Я не помню название рассказа, там кошка вскочила на стол и обнюхала всю колбасу. Хозяин заметил: «Просили тебя нюхать?» Казалось бы, ничего смешного, но сколько здесь чеховского…

«В человеке все должно быть прекрасно: лицо, и одежда, и душа, и мысли» — это стало классикой.

Мое поколение росло в эпоху дефицита. Ничего из одежды нельзя купить. Появился термин «достать». Достать — это результат усилий: куда-то побежать, успеть, протолкаться, встать на цыпочки, дотянуться и достать.

Идеологии было выгодно осуждать красивую одежду. Красивая одежда значила легкомыслие, доступность. А одежда для человека — составляющая достоинства. Дурная одежда унижает.

Сейчас в наши дни люди стали одеваться ярко. Пусть недорого (турецкий ширпотреб), но весело. По улицам идет разноцветная толпа, это радует глаз. А раньше — все в сером, как стада крыс.

И правительство наше сидело с напряженными, угрюмыми лицами, как будто у них в заднице кактус.

Сейчас наше правительство — относительно молодые люди, хорошо подстриженные и в очень дорогих костюмах от Версаче или еще круче.

Я не берусь давать оценку, хорошо это, плохо или никак. Для меня важнее: читают они Чехова или нет? Входит ли Чехов в их набор ценностей?

Я делю людей на своих и чужих. Те, кто любит Чехова, — мои. А с чужими мне не интересно.

Я продолжаю учиться у Чехова писательскому мастерству. Чехов — писатель сдержанный, аскетичный. Он никогда не педалирует ни радость, ни горе.

Например, рассказ «В овраге». Молодая Липа несет из больницы своего умершего ребенка. Что может быть трагичнее? Ей повстречался старик. Вот их диалог:

«— И скажи мне, дедушка, зачем маленькому перед смертью мучиться? Когда мучается большой человек, мужик или женщина, то грехи прощаются, а зачем маленькому, когда у него нет грехов? Зачем?

— А кто ж его знает? Всего знать нельзя, зачем да как. Птице положено не четыре крыла, а два, потому что и на двух лететь способна, — так и человеку положено знать не все, а только половину или четверть.

Сколько надо ему знать, чтоб прожить, столько и знает... Твое горе с полгоря. Жизнь долгая, — будет еще и хорошего и дурного, всего будет...»

Чехов поднимается над частной трагедией. Человек — часть природы, только и всего. Многие ученые, подходя к концу жизни, вдруг прозревают в понимании того, что они ничего не знают.

Довлатов пишет, что у покойников лица как бы выражают: «Ах, так вот оно как...» Умершие как бы видят всю картину целиком, всю молекулу жизни и смерти. При жизни человеку не дано знать все до конца. А после смерти открывается секрет.

Чехов — врач. Он полагает, что и после смерти ничего не открывается. Писатель остается в своих книгах, а простой человек в своих детях. И другого бессмертия нет.

Философ Зиновьев сказал: «Мои книги — вот он, я. А мое тело — это явление временное».

Англичанин Дональд Рейфилд написал подробнейшую биографию Чехова. Странно, что это сделал англичанин, а не русский чеховед.

У Рейфилда Чехов представлен отнюдь не как идеал человека. Ничего человеческое ему не чуждо. Он — довольно частый посетитель публичных домов. Но и эта сфера жизни отражена в его рассказах. Любая среда — не что иное, как материал для творческой обработки.

Каждый берет из Чехова то, что ему близко. Я беру уроки его самоусовершенствования.

Что еще можно взять одному писателю у другого? Ничего. «Каждый пишет, как он дышит». Слова Окуджавы.

Подражать — значит изменять себе. Однако каждому человеку, независимо от профессии, хорошо иметь нравственный идеал. Для многих людей моего поколения нравственным идеалом были Дмитрий Лихачев, Ростропович, Сахаров. Для меня — Антон Павлович Чехов. Мне часто хотелось огрызнуться на несправедливость. Ответить тем же, типа «сам дурак». Но я задавала себе вопрос: «А Чехов бы стал огрызаться?» Никогда. Ну и я не буду.

При жизни творчество Чехова называли скучным, к нему клеили ярлык: «мелкотемье». Понадобилось время, чтобы литература Чехова стала классикой. Цветаева писала: «Моим стихам, как драгоценным винам, настанет свой черед».

Чехов умер в 1904 году, в самом начале XX века. Сейчас идет XXI век. Прошло 112 лет после его смерти, а драматургия Чехова востребована во всем мире, и его «скучные» пьесы нужны людям, проникают в них и вытаскивают из души самое сокровенное.

Я больше люблю читать пьесы Чехова, чем смотреть их. А рассказ «Черный монах» рождает во мне желание работать. Хочется все бросить, бежать к письменному столу и писать, не поднимая головы, быть лучше, талантливее, чем я есть на самом деле.

Творчество Чехова рождает в моей душе грусть и нежность, как хорошая музыка.

Сейчас, когда материя захлестнула наше общество, Чехов особенно нужен. Он появляется с палочкой, высокий, сгорбленный, одинокий, больной туберкулезом, и смотрит. Что он говорит? Ничего. Просто смотрит и молчит. И всем становится стыдно.

содержание

рассказы

очерки

Литературно-художественное издание

токарева
виктория самойловна
кругом один обман

Редактор Д. Гурьянов

Художественный редактор С. Карпухин

Технический редактор Л. Синицына

Корректор Т. Дмитриева

Компьютерная верстка Т. Коровенковой

В оформлении обложки использоваано фото
© Preobrajensky/shutterstock.com
Фото на задней стороне обложки из личного архива автора

ООО «Издательская Группа «Азбука-Аттикус» –
обладатель товарного знака «Азбука»
119334, Москва, 5-й Донской проезд, д. 15, стр. 4

Филиал ООО «Издательская Группа «Азбука-Аттикус»
в г. Санкт-Петербурге
191123, Санкт-Петербург, Воскресенская набережная,
д. 12, лит. А

ЧП «Издательство «Махаон-Украина»
Тел./факс (044) 490-99-01
e-mail: sale@machaon.kiev.ua

Знак информационной продукции
(Федеральный закон № 436-ФЗ от 29.12.2010 г.)

Подписано в печать 25.10.2016.
Формат 84×108 1/32. Бумага офсетная.
Гарнитура «Original Garamond».
Печать офсетная. Усл. печ. л. 11,04.
Тираж 25 000 экз. B-TIG-20314-01-R. Заказ № 4855/16.

Отпечатано в соответствии с предоставленными материалами
в ООО «ИПК Парето-Принт». 170546, Тверская область,
Промышленная зона Боровлево-1, комплекс № 3А
www.pareto-print.ru

ПО ВОПРОСАМ РАСПРОСТРАНЕНИЯ
ОБРАЩАЙТЕСЬ:

В Москве:
ООО «Издательская Группа «Азбука-Аттикус»
Тел. (495) 933-76-01, факс (495) 933-76-19
E-mail: sales@atticus-group.ru

В Санкт-Петербурге:
Филиал ООО «Издательская Группа «Азбука-Аттикус»
в г. Санкт-Петербурге
Тел. (812) 327-04-55
E-mail: trade@azbooka.spb.ru

В Киеве:
ЧП «Издательство «Махаон-Украина»
Тел./факс (044) 490-99-01
e-mail: sale@machaon.kiev.ua

В Харькове:
ЧП «Издательство «Махаон»
Тел. (057) 315-15-64, 315-25-81
e-mail: machaon@machaon.kharkov.ua

www.azbooka.ru; www.atticus-group.ru